A chama da verdade

Luzes na escuridão

Referências bíblicas

adaptação ao contexto da história.

Introdução

O ser humano tem uma necessidade latente de buscar o poder e formas de controlar outras pessoas. Durante toda a história da humanidade, há diversos exemplos de situações envolvendo esta busca. Já houve e ainda há disputas familiares, judiciais e políticas; guerras, regimes autoritários, etc. Os seres humanos sempre encontram uma forma de lutar por aquilo que desejam.

Essa busca chega ao seu mais baixo nível quando envolve a religião, seja ela qual for. Pessoas sedentas por poder e dominação criam profecias, códigos religiosos, "acontecimentos sobrenaturais", sociedades secretas, e tudo mais que lhes dê poder.

O cristianismo não esteve imune aos desejos humanos durante a sua história. Sempre houve pessoas que usaram a religião para obter aquilo que desejavam. Em nome de Deus e Jesus, houve julgamentos, perseguição, tortura, execuções e guerras. Aqueles que estavam no comando, sempre disseram que tudo era feito segundo a vontade de Deus e que aquilo era o melhor para todos.

Mesmo em meio a mais densa escuridão da dominação e opressão, surgem pequenas luzes e sementes de esperança. Pessoas se levantam e começam a criticar e agir contra tudo o que é errado. Ainda que suas vidas estejam em risco, aqueles que buscam a verdade não retrocedem e usam todos os meios possíveis para libertar as pessoas das mentiras.

O mundo atual vive um momento muito peculiar na história da humanidade. Após a conquista de diversas liberdades civis, grupos autoproclamados "conservadores" buscam formas de restringir a sociedade novamente. Os grupos tentam impor o seu padrão de vida a todas as pessoas, ignorando a vontade e crença individual. E esses movimentos ganham cada vez mais força, apoiados por figuras políticas e religiosas, em geral, extremistas e controversas.

Lentamente estes movimentos político-religiosos avançam na sociedade, impondo padrões morais, culturais e comportamentais. Estes avanços merecem atenção, pois todos sabem o que acontece com sociedades teocráticas. As pessoas se eximem de sua responsabilidade e dizem que tudo é em nome da religião.

Se ninguém fizer nada para impedir o avanço desses grupos, o mundo passará por grandes transformações. As pessoas podem viver um futuro que já foi escrito nos livros de história...

Índice

Introdução 5

Gênesis 11

Levítico 34

Deuteronômio 53

1 Samuel 88

Joel 112

2 Samuel 132

Êxodo 161

Rute 187

1 Crônicas 222

2 Crônicas 255

Apocalipse 273

Sobre o autor 283

Agradecimento 284

Agradecimento especial 284

Gênesis

Século XXII

Em uma manhã ensolarada, dois garotos brancos brincam em uma rua de um bairro residencial de classe média. As casas não possuíam grandes muros separando-as da rua. Havia somente um pequeno muro com cerca de um metro em cada uma delas. Eles tinham cerca de dez anos, vestiam camiseta e bermuda, e jogavam futebol tranquilamente, pois não havia movimentação de veículos.

Os garotos ouviram algumas sirenes se aproximando e pararam de jogar. A cada momento o som das sirenes aumentava, um dos garotos disse:

— Samuel, o que será que aconteceu?

— Não sei. Mas imagino que não seja coisa boa — disse apreensivo.

Eles esperaram alguns minutos e grandes veículos brancos chegaram à rua.

— Davi, corre! — disse Samuel com medo. — É o Exército Eclesiástico!

Os garotos deixaram a bola de futebol e cada um correu para sua casa. Em todas as casas os vizinhos fecharam as portas e janelas. Cada família parecia se preparar para o pior.

Os carros pararam em frente a uma das casas e várias pessoas com roupas militares brancas saíram. Cada um estava equipado como um soldado, capacete, máscara, uma arma de grosso calibre nas mãos e outra menor na cintura. Eles também usavam coletes com diversos acessórios de combate.

Eles se alinharam em frente à casa e o comandante disse com nervosismo:

— Acabem com todos os infiéis!

Os soldados dispararam intensamente. O comandante fez um gesto com a mão para pararem e assim fizeram.

O comandante pegou uma granada e lançou na casa. Houve uma explosão e algumas pessoas saíram correndo pela lateral.

Os soldados dispararam várias vezes e os corpos caíram no chão.

Assim que entrou em sua casa, a mãe de Samuel, uma mulher branca com aproximadamente quarenta anos, usando calça e camiseta.

— Vamos para o porão! — disse ela com preocupação.

Os dois correram para lá. Não era um porão comum. Eles desceram muitas escadas e havia uma porta metálica grossa e pesada. Ela disse:

— Você ficará seguro aqui.

Ela estava fechando a porta.

— Mãe! — disse ele com lágrimas. — Fique aqui.

Ela o abraçou e também respondeu com lágrimas:

— Não posso! Se ficarmos aqui, todos nós vamos morrer. Aqui, você estará seguro.

Ela fechou a porta e foi para a sala. O pai de Samuel estava lá preparando algumas metralhadoras. Ele usava calça e camiseta, e era um homem branco com aproximadamente a mesma idade da mulher.

Ele a abraçou e disse:

— Acho que nosso grupo foi descoberto.

— Querido, sempre soubemos que isso poderia acontecer. Esse é o preço pago por buscar a verdade.

— Meu amor, prefiro morrer pela verdade do Evangelho do que viver uma religião mentirosa.

— É verdade — disse ela em tom triste. — Só fico triste por deixar nosso filho. Espero que ele fique bem.

— Querida, Deus estará com ele todos os dias.

Os soldados se aproximaram da casa. O casal foi para os fundos e os disparos começaram. Eles conseguiram se proteger.

A granada foi lançada e os dois saíram pelos fundos da casa. Ainda com a poeira da explosão, os dois começaram a disparar contra os soldados e vários foram mortos.

Samuel ouviu o estrondo da explosão, se ajoelhou e orou:

— Deus, proteja meus pais. Eles são pessoas boas. Eles sempre fazem o que é certo.

Os pais de Samuel continuaram atirando contra os soldados. Outra granada foi lançada próximo de onde estavam e eles correram para se proteger. Durante a corrida, ambos foram atingidos por tiros e caíram no chão.

Os soldados fizeram o mesmo procedimento em todas as casas daquela rua.

Samuel ficou no porão por algumas horas, até que percebeu que os estrondos das explosões haviam parado.

Ele saiu do porão e viu parte de sua casa destruída. Em seguida, ele foi até os fundos de sua casa, procurando por seus pais. Ao vê-los, Samuel começou a chorar e disse gritando:

— Deus! Por quê?

Samuel se deitou ao lado dos corpos e chorou por algum tempo. Após o choque inicial, ele pensou:

— Preciso sair daqui.

Ele foi andando pela rua e viu todas as casas destruídas e corpos por todos os lados.

Ele caminhou até a casa de Davi, entrou lá e viu seu corpo cravejado de tiros. Ele abraçou o corpo e disse chorando:

— Senhor, ele era só uma criança!

Samuel ouviu um barulho de veículo na rua e se assustou. Ele pensou:

— Alguém deve ter me visto! Acho que chegou minha hora.

Ele se escondeu atrás de alguns escombros. Alguém entrou na casa e uma voz feminina disse com tristeza:

— O Exército Eclesiástico esteve aqui. Se continuarem assim, eles vão acabar com todos nós.

Os olhos verdes de Samuel tentavam ver a pessoa e ele fez um barulho. A mulher negra de meia-idade com roupa militar marrom, sacou sua pistola e procurou quem estava lá.

— Não atire — disse Samuel assustado. — Sou só uma criança.

Ele saiu dos escombros, a mulher guardou sua arma e o abraçou dizendo:

— Você está ferido?

— Não.

— Tem mais alguém por aqui?

— Acho que não.

— Onde estão seus pais?

— Mortos. — Ele começou a chorar.

A mulher o consolava dizendo:

— Tudo vai ficar bem. Vamos sair daqui.

Os dois saíram da casa, entraram em um carro preto comum e foram embora dali.

Trinta anos depois

Uma televisão estava ligada em um noticiário. Uma jovem negra disse:

— Ontem à noite foi registrada mais uma tentativa de vandalismo em um dos templos da Congregação dos Evangelistas Verdadeiros.

Um vídeo mostrou as paredes de uma grande igreja com diversas frases pintadas. Eram insultos à igreja e aos seus membros.

Um jovem moreno claro com trinta anos estava assistindo sentado em um sofá. Ele usava uma túnica branca com um cinto marrom. As mangas da túnica chegavam até o punho.

A jornalista disse:

— Segundo relatos de testemunhas, membros de outra igreja estão envolvidos nesta ação. Até o momento ninguém se manifestou ou assumiu a autoria do ataque.

Ele desligou a televisão, suspirou e disse:

— É sempre a mesma coisa. Brigas e igrejas vandalizadas.

Ele se levantou, tinha altura e peso médios. Ele passou as mãos em seus cabelos pretos trançados e os prendeu formando um rabo de cavalo que chegava aos ombros. Suas tranças eram no estilo rastafári. Ele foi até um espelho, se olhou e disse:

— Como será que eu ficaria sem barba?

Ele tinha barba densa cobrindo todo o rosto. E também tinha olhos castanho-claros.

O jovem foi até seu quarto, pegou seu laptop e se sentou na cama. Ele abriu o navegador de Internet e viu uma bandeira do Brasil com a seguinte mensagem:

— Bem-vindo, Yoel Gedeon. Você está utilizando uma conexão segura. Todos os conteúdos são analisados pelo Governo do Brasil. Você tem acesso a uma infinidade de conteúdos. No entanto, aqueles conteúdos considerados prejudiciais são bloqueados.

Yoel pensou:

— Controlamos a sua vida. E você só pode acessar aquilo que o governo acha certo.

Yoel acessou alguns websites e viu algumas notícias. Praticamente todo o conteúdo era relacionado às maiores igrejas cristãs do país. Eram notícias sobre eventos, pessoas, líderes, etc. Era raro alguma notícia sobre o dia a dia das pessoas ou outros acontecimentos. Ele se cansou daquilo e disse:

— Para onde quer que eu vá, a religião está lá.

Yoel foi para a cozinha de sua casa. Seus pais estavam lá, sentados em uma mesa com alguns papéis. Ambos usavam roupas semelhantes às de Yoel, túnicas brancas com cintos coloridos.

Seu pai, Yehudi Gedeon, era branco com olhos verdes, tinha cinquenta e cinco anos. Altura e peso médios. Seu cabelo era grisalho e liso, indo até o pescoço. Sua barba era grisalha e cobria seu rosto.

Sua mãe, Devorah Gedeon, era morena clara com olhos castanho-claros, tinha cinquenta e dois anos. Altura e peso médios, cabelo castanho com pequenos cachos até o meio das costas.

— Yoel, precisamos conversar — disse Yehudi apreensivo.

— O que foi pai?

— Filho — disse Devorah em tom triste. — Precisamos de sua ajuda.

— Ajuda com o quê?

— Você sabe — respondeu Yehudi.

— Entendi. Dinheiro. Aconteceu algo?

— Este mês — respondeu Devorah, — tivemos que fazer aquela doação para a igreja e sobrou pouco dinheiro.

Yoel disse um pouco irritado:

— Sempre digo que vocês não precisam ficar doando para a igreja, mas vocês não me ouvem.

— Tudo é para a obra de Deus — respondeu Devorah.

— Mãe, tem certeza? Acho que tudo é para a obra do líder da igreja. A senhora já viu o tamanho da casa dele?

— Ele é um grande homem de Deus — disse Yehudi. — Ele merece ter muitas coisas boas.

— E os membros da igreja? — disse Yoel ironicamente. — O que merecem? Dívidas e miséria?

— Yoel, não pense assim — respondeu Devorah. — Tudo tem um propósito.

— Sei — disse Yoel desconfiadamente.

Yehudi disse em tom sério:

— Você pode nos ajudar?

— Claro!

— Obrigado.

Eles se levantaram e abraçaram Yoel.

No dia seguinte, em uma manhã ensolarada e quente, Yoel caminhava por uma rua no centro da cidade. Era uma rua com muitos arranha-céus e em cada um deles havia uma tela para publicidade. Eram exibidos anúncios de produtos e serviços. No entanto, a maioria do tempo era ocupada por mensagens das grandes igrejas cristãs do país. Cada uma delas exibia vídeos dos cultos e frases dizendo que somente aquela igreja pregava a verdade. Alguns anúncios satirizavam outras igrejas e os seus membros, tratando-os como pessoas sem inteligência ou condenadas ao inferno.

Yoel entrou em um prédio de escritórios e foi para seu posto de trabalho. Sentou-se, ligou seu computador e começou a trabalhar.

Após algumas horas, ele recebeu uma ligação dizendo que ele deveria ir ao departamento de recursos humanos.

Yoel foi até lá, entrou na sala e se sentou em frente a um homem negro com aproximadamente sua idade. Ele usava túnica, e tinha o cabelo e a barba como os dele.

— Bom dia, Elnathan, tudo bem?

— Bom dia, Yoel. Tudo bem, e com você?

— Também estou bem.

— Yoel. Você está completando dez anos de trabalho formal e agora pode pedir a exclusão dos impostos religiosos do seu salário. Você deseja fazer o pedido?

— Com certeza! — respondeu Yoel com empolgação. — Estes descontos consomem muito do meu salário.

— É verdade, são dez por cento para o dízimo, dez para a oferta e cinco por cento para as primícias.

— Um quarto do meu salário vai para o Ministério Eclesiástico Federal.

— Infelizmente — disse Elnathan desanimado. — São as leis do nosso país.

— Como devo fazer o pedido de exclusão?

— Você deve ir à Secretária Eclesiástica da cidade, preencher o formulário e registrar seu pedido.

Yoel estava surpreso:

— Ir até lá? Preencher um formulário? Estamos no século XX?

Elnathan sorriu e disse:

— Eles fazem o possível para dificultar. E ainda tem mais.

— Mais o quê?

— Você aguardará a resposta e se for aprovado, deve voltar lá e fazer um juramento.

— Juramento? — estranhou Yoel. — Isso é brincadeira, não é?

— Não. É algo sério. Você faz um juramento dizendo que está ciente do pecado que está cometendo ao retirar o desconto do seu salário. O juramento é feito na presença de um pequeno grupo de sacerdotes.

— Meu Deus! — Yoel sacudiu sua cabeça em sinal negativo. — Também há açoites e apedrejamento?

— Por enquanto, não. Talvez no futuro. — Elnathan sorriu.

— E se não for aprovado?

— Você deve voltar lá, registrar uma justificativa para a exclusão do desconto e esperar novamente.

— É como disse, fazem tudo para dificultar. Obrigado pelas informações.

— Por nada. Se precisar de ajuda, ou se tiver alguma dúvida, pode me procurar.

— Obrigado.

Yoel cumprimentou Elnathan com um aperto de mãos e

voltou ao seu trabalho.

...

Dias depois Yoel foi à Secretária Eclesiástica. Esta ficava num luxuoso edifício no centro da cidade. Ele entrou e foi ao departamento responsável por seu caso.

Yoel foi levado a uma pequena sala. Sentou-se e esperou por mais de uma hora. Uma mulher branca de meia-idade vestindo uma túnica entrou e entregou uma prancheta e uma caneta para ele.

— Preencha isso aqui, por favor — disse lhe.

A mulher ficou de pé perto dele. Ela estava mascando chiclete fazendo barulho.

Yoel começou a preencher. No cabeçalho do formulário havia um texto bíblico:

— 8 Pode um homem roubar de Deus? Contudo vocês estão me roubando. E ainda perguntam: 'Como é que te roubamos?' Nos dízimos e nas ofertas. 9 Vocês estão debaixo de grande maldição porque estão me roubando; a nação toda está me roubando. (Malaquias 3:8-9)

Yoel pensou:

— Eles tentam pressionar as pessoas de todas as formas.

Yoel preencheu o formulário e entregou-o à mulher. Ela

olhou e disse:

— Parece que está tudo certo. Aguarde um momento que registrarei seu pedido.

Ela saiu da sala e Yoel esperou quase uma hora. A mulher voltou e entregou um papel a Yoel.

— Este é o número do seu pedido — disse ela. — Espere um mês e ligue para este telefone para saber se seu pedido foi analisado.

— Um mês? — Yoel surpreendeu-se.

— No momento estamos com pouca gente trabalhando.

— Tudo bem. Obrigado.

Yoel foi para o seu trabalho.

Levítico

Em uma noite quente, Yoel estava na sala assistindo televisão. Uma jovem branca falava do clima.

— Este ano o país continua com poucas chuvas em todas as regiões. Além disso, as temperaturas seguem altas, acima dos quarenta graus em todos os estados.

Foram exibidos vídeos de florestas e outros locais afetados pelas secas. Também foram exibidos vídeos de incêndios.

— Segundo os especialistas, — a repórter continuou. — não há explicação científica para este clima extremo. A história climática do Brasil mostra que, até meados do século XXI, o país tinha um ótimo clima, com temperaturas amenas e chuva regular.

— Queria ter vivido nessa época — disse Yoel.

Devorah chegou à sala.

— Yoel, você vai à igreja com a gente?

— Sim. É minha única opção — respondeu desanimado.

— Você tem opção. Se não quiser ir, não vá.

Yoel sorriu e respondeu ironicamente:

— Se eu não for, amanhã receberei uma ligação ou

alguém virá aqui para saber por que eu não fui. Terei de responder a uma infinidade de perguntas, parece um interrogatório criminal. Prefiro ir e evitar isso.

— Tudo bem. Vamos?

— Vamos.

Eles foram à sede da Igreja Galáctica do Senhor. Antes de chegar ao templo, havia um grande jardim cercado por grades metálicas e havia guaritas com guardas armados vigiando.

A família de Yoel chegou à entrada principal do jardim. Ali também havia guardas armados e catracas para controlar o acesso dos membros. Cada um da família colocou sua mão em um leitor de impressão digital e em seguida, o acesso foi autorizado.

Em outra catraca houve uma confusão. Um homem branco de meia-idade discutia com os guardas.

— Está tentando invadir nossa igreja? — perguntou um dos guardas em tom agressivo.

O homem estava nervoso e assustado. Ele respondeu gaguejando:

— Na, na, não. É que, e... estou aqui como visitante.

— E quem te convidou? — O guarda prosseguiu com

agressividade.

— Um amigo.

— E onde está o cartão de visitante?

— Cartão de visitante? — O homem ficou surpreso.

— Seu amigo não te entregou um cartão?

— Sim, mas não está comigo.

— Sem o cartão — disse o guarda enquanto empurrava o homem. — Você não pode entrar. Vá embora!

— Mas eu queria...

— Você não quer nada. Suma daqui! — O segurança apontou sua pistola para o homem.

— Não atire! — disse o homem desesperado. — Vou embora.

O homem correu com medo de ser baleado.

Yoel observou tudo e pensou:

— Que absurdo! O homem só queria participar do culto.

A família caminhou pelo jardim. Havia diversas árvores, como palmeiras, oliveiras, acácias, carvalhos, cedros, figueiras, entre outras. Havia também muitos tipos de flores. Perto do templo havia um lago.

O templo era uma construção monumental. A arquitetura era semelhante à dos templos da Grécia antiga. O templo ficava em um nível mais alto que o jardim. A entrada tinha uma escadaria, grandes colunas gregas e uma porta metálica dourada.

O salão dos cultos tinha duzentos metros de comprimento, cem metros de largura e trinta metros de altura. Havia poltronas acolchoadas para os membros. As poltronas eram como as de cinema, em níveis diferentes.

A arquitetura interna também tinha colunas gregas. E as paredes eram brancas e lisas.

Na frente havia um altar elevado e doze tronos dourados. Um dos tronos era maior e mais elevado que os demais. Completando a decoração, havia cortinas coloridas com cordas douradas.

A família de Yoel sentou-se próximo ao altar.

Após alguns minutos, foi tocado um som contínuo de trombetas. Este era o aviso para o início do culto. Todos no templo baixaram suas cabeças em reverência à entrada dos anciãos e do líder da igreja.

Onze homens brancos de meia-idade atravessaram o salão por um corredor entre as poltronas e sentaram-se nos tronos menores. Cada um deles vestia uma túnica azul-real com bordados dourados.

Em seguida, apareceu o líder da igreja, Kaim Nabucodonosor. Ele era branco, tinha sessenta e cinco anos, era obeso, careca e não tinha barba, ele tinha olhos azul-claros. O líder usava uma túnica vermelha com elegantes bordados dourados nas mangas.

Kaim estava sentado em uma cadeira luxuosa, coberta de ouro. A cadeira tinha hastes na parte inferior, onde oito homens a carregavam.

Ele foi carregado até o trono maior. O som das trombetas parou, ele se sentou e disse algumas palavras ininteligíveis. Em seguida, disse calmamente:

— Meus fiéis, eu lhes dou permissão para olharem para mim.

Todas as pessoas olharam-no.

— Este homem pensa que é um deus. — Yoel pensou

— Pessoas desta maravilhosa igreja. — Kaim continuou no mesmo tom calmo. — Todos vocês sabem que esta igreja é a verdadeira e a única igreja que adora a Deus verdadeiramente. Nunca se esqueçam disso. Aqueles que se esquecem, buscam outras igrejas e isso traz maldições sobre suas vidas. Todos os que saíram daqui fracassaram. Eles perderam tudo o que tinham. Se isso não for mensagem de Deus, então, eu não sei o que é.

Yoel pensou:

— As pessoas fracassaram porque esta igreja processa todos os ex-membros e tenta tirar tudo o que eles têm. Não é maldição, é processo judicial. E esta igreja tem muitos advogados e juízes a seu serviço.

— Digo estas coisas a vocês, não para amedrontar ninguém. Digo tudo isso porque me importo com cada um de vocês e quero o melhor para suas vidas. E o melhor é estar nesta igreja.

Kaim continuou:

— Digo estas coisas, não para amedrontar ninguém. Digo tudo isso porque me importo com cada um de vocês e quero o melhor para suas vidas. E o melhor é ficar nesta igreja.

— O melhor para esta igreja é não perder o dinheiro de seus escravos, quer dizer fiéis. — Pensou Yoel.

— A infidelidade não é algo que acontece de uma hora para outra. É algo que começa com pequenas atitudes. A primeira delas é a falta de fé na igreja e no seu líder. Muitas pessoas questionam tudo o que seus líderes dizem e fazem. Eles não entendem que tudo o que o líder faz é a vontade de Deus. O líder é a única pessoa com o contato direto com Deus. — Kaim fez uma pausa e disse dramaticamente: — E vocês não sabem como é difícil ser o mediador entre as pessoas e Deus.

Kaim fechou os olhos e bradou mais algumas palavras ininteligíveis. Depois, olhou ao redor e disse calmamente:

— Pedi a Deus perdão por aqueles que têm dúvidas sobre a fé nesta igreja. Como já sabem, a verdadeira oração deve ser feita no idioma original instituído por Deus, o hebraico antigo. Deus não aceita nenhuma outra oração. Eu sou um homem de Deus e tenho a revelação divina deste idioma. Não se pode aprendê-lo, somente aqueles que Deus escolhe recebem a revelação.

Yoel ouvia tudo, mas não acreditava que Kaim falasse a verdade. Embora frequentasse a igreja desde criança, Yoel nunca aceitou as práticas e doutrinas. Para ele, era como se algo colocasse uma dúvida em sua mente, impedindo-o de acreditar.

Kaim pegou uma grande bíblia e disse:

— Vamos ver o que Deus quer falar com todos esta noite.

Kaim abriu a bíblia aleatoriamente e se fixou em um texto. Ele leu Atos dos Apóstolos, capítulo 8, a partir do versículo 17.

— *17 Então Pedro e João lhes impuseram as mãos, e eles receberam o Espírito Santo. 18 Vendo Simão que o Espírito era dado com a imposição das mãos dos apóstolos, ofereceu-lhes dinheiro 19 e disse: "Deem-me também este poder, para que a pessoa sobre quem eu puser as mãos receba o Espírito Santo". 20 Pedro respondeu: "Simão, você compreendeu aquilo que Deus quer para a vida dos fiéis. 21 O seu dinheiro dá direito sobre este ministério, porque o seu coração é reto diante de Deus. 22 Tudo o que você desejar lhe será feito, desde que você pague.*[1]

— A palavra de Deus é clara ao mencionar que qualquer um pode comprar o poder do Espírito Santo. Vocês devem desejar e agir, dando seu dinheiro em troca do poder. Esta noite, eu desafio os verdadeiros fiéis a comprarem este poder. Se vocês não têm dinheiro, podem entregar qualquer coisa de valor: joias, veículos, casas e qualquer outra coisa que possa ser convertida em dinheiro.

Muitas pessoas da igreja ficaram eufóricas com a proposta.

— Aqueles que desejam mais poder em sua vida devem procurar os assistentes do culto e conversar com eles. Vou

---

[1] Texto original: 17 Então Pedro e João lhes impuseram as mãos, e eles receberam o Espírito Santo. 18 Vendo Simão que o Espírito era dado com a imposição das mãos dos apóstolos, ofereceu-lhes dinheiro 19 e disse: "Deem-me também este poder, para que a pessoa sobre quem eu puser as mãos receba o Espírito Santo". 20 Pedro respondeu: "Pereça com você o seu dinheiro! Você pensa que pode comprar o dom de Deus com dinheiro? 21 Você não tem parte nem direito algum neste ministério, porque o seu coração não é reto diante de Deus. 22 Arrependa-se dessa maldade e ore ao Senhor. Talvez ele lhe perdoe tal pensamento do seu coração.

esperar até que todos se decidam e em seguida orarei por vocês.

Os assistentes do culto se posicionaram em vários pontos da igreja. Eram homens de meia-idade vestindo túnicas verde-esmeralda.

As pessoas foram até eles e negociavam o que iriam dar para comprar o poder do Espírito Santo. Algumas propostas não foram aceitas pelos assistentes e os fiéis retornavam aos seus assentos insatisfeitos e tristes.

Cada um que teve sua doação aceita foi até a frente da igreja e se prostrou com o rosto no chão. Kaim orou por eles com palavras ininteligíveis. Todos ficaram satisfeitos por conseguir comprar o poder do Espírito Santo.

Após a oração, Kaim disse a todos:

— Agora, temos um momento muito especial em nosso culto. É o momento de pedirmos ajuda ao fundador da igreja, Amnon Hayim. Todos sabem que ele também foi um homem de Deus, usado em muitas situações.

Uma cortina atrás dos tronos foi aberta e havia uma caixa de vidro com o corpo do fundador da igreja. O corpo havia sido preservado através da taxidermia. Amnon vestia uma túnica semelhante à de Kaim. Seu rosto parecia jovem e ele estava com a pele morena clara. Ele parecia magro e tinha longos cabelos lisos pretos.

— Agora, todos vocês podem orar em nosso idioma. Nosso fundador que está ao lado de Deus nos ouvirá e intercederá por cada um de nós. Vocês sabem que ele nos ouve e atende. Muitos milagres já aconteceram graças ao nosso fundador. Ele fez muito em sua vida e ainda faz muito por todos nós.

Toda a igreja se ajoelhou e todos fizeram pedidos a Amnon. Yoel se ajoelhou, mas não disse nada. Ele pensava:

— Estamos orando para um corpo. Será que Deus realmente deseja isso?

— Vocês já oraram o bastante, tenho certeza de que nosso fundador irá atender aos pedidos dos mais fiéis.

Kaim fechou os olhos e depois de alguns instantes disse:

— Deus me disse que devemos terminar nosso culto; fizemos tudo o que ele desejava; vou orar a Deus para abençoar todos vocês.

Kaim disse palavras ininteligíveis. Em seguida foi tocado o som das trombetas, as pessoas abaixaram suas cabeças e os anciãos se levantaram e saíram pelo mesmo lugar que entraram. Depois disso, Kaim se sentou em sua cadeira e foi carregado novamente. Após sua saída, o som das trombetas parou. Uma jovem branca foi à frente da igreja e disse:

— Todos sabem que este é o mês da avaliação do nosso conhecimento religioso. Todos devem comprar o livro com as leis e mandamentos da religião. Estudem bastante; a prova será no final do mês. Aqueles que não atingirem a nota mínima deverão pagar uma multa, pagar um curso e fazer a prova novamente.

Yoel pensou:

— Tudo sempre envolve dinheiro.

— Obrigado pela presença e vejo vocês no próximo culto.

Todos começaram a sair e compraram o livro de estudos. Era um livro grande e grosso com mais de mil páginas.

Yoel e sua família voltaram para casa e estavam na sala.

— Vamos estudar juntos como nos anos anteriores — disse Devorah.

— Acho que será melhor — disse Yehudi.

Yoel olhou seu livro, jogou-o no sofá.

— Pode ser — disse desanimado.

— Por que o desânimo? — perguntou Devorah.

Yoel suspirou.

— Mãe, todo ano é a mesma coisa: estudar um livro cheio

de leis idiotas e fazer uma prova difícil. Isso cansa — disse desanimado.

— Não pense assim — disse Yehudi. — São leis importantes para todos nós.

Yoel se sentou no sofá.

— Certo pai — respondeu ironicamente. — Vamos ver as leis importantes.

Ele abriu o livro aleatoriamente.

— Lei oitocentos e setenta e dois: Todas as crianças devem ser registradas com os nomes bíblicos antigos. Esses nomes agradam a Deus.

— Essa lei parece inútil — respondeu Yehudi. — Mas não tem tanto impacto na vida das pessoas.

Yoel passou algumas páginas.

— Lei mil duzentos e quinze. Os cristãos somente poderão ouvir músicas aprovadas pelo Ministério Eclesiástico Federal.

Devorah disse:

— Yoel — disse Devorah. — Esta lei é para prevenir a propagação de músicas pecaminosas e contra os princípios de Deus.

Yoel riu.

— Mãe, se analisarmos as músicas mais famosas da atualidade, nenhuma está de acordo com o ensino da bíblia. Mas para o Ministério Eclesiástico o mais importante é receber o pagamento pela análise e aprovação da música.

Yehudi:

— Você encontrou uma lei controversa — disse Yehudi.

— Mas todas as outras fazem sentido.

— Vamos ver.

O Yoel passou mais algumas páginas.

— Lei mil trezentos e dois: A vestimenta padrão de todos os cristãos é a túnica branca com um cinto colorido. Somente líderes e autoridades eclesiásticas têm o direito de usar túnicas coloridas.

Yoel passou mais páginas.

— Lei mil quinhentos e quarenta: Os homens devem seguir o exemplo dos homens da bíblia, deixando crescer seus cabelos e barbas. Estão isentos do cumprimento desta lei aqueles que têm calvície ou outra condição médica especial que impeça o crescimento do cabelo ou barba.

Yoel fechou o livro.

— Nada disso faz sentido! — disse irritado. — A religião se preocupa somente com tradições e aparências. Parece que não é importante obedecer e agradar a Deus. A única coisa que importa é agradar às pessoas. Estou cansado disso!

Os pais de Yoel estavam assustados com as palavras do filho, mas o compreendiam. Ele se levantou, foi para seu quarto e fechou a porta.

Yoel se deitou e pensou:

— Deus, isso está certo? Ou sou eu que estou errado?

Yoel pensou em muitas coisas sobre a religião e adormeceu.

No dia seguinte, após seu almoço, Yoel estava sentado em uma praça estudando o livro das leis. Ele estava lendo as leis relacionadas às punições para a desobediência das leis.

— As punições para aqueles que violam as leis eclesiásticas incluem, mas não se limitam, a: multa, prisão, castigos físicos, exposição pública, pena de morte. As violações serão analisadas pelo Tribunal Eclesiástico e este definirá a punição conforme a violação. Para casos envolvendo reincidência, a punição sempre será mais severa.

Yoel pensou:

— Meu Deus!

Ele passou algumas páginas e leu algumas informações relacionadas à política.

— O sistema político brasileiro é um regime teocrático, onde todas as decisões políticas são direcionadas por Deus. Todos os atos praticados pelos políticos devem ser entendidos como vontade de Deus para o país. Um político nunca pode ser questionado. Todas as leis devem considerar o benefício para a religião cristã; sendo assim, fica proibida a criação de leis que violem qualquer princípio ou interesse da religião.

Yoel olhou seu relógio de pulso e viu que já estava na hora de voltar ao trabalho. E assim fez.

No final do dia, Yoel estava estudando deitado em sua cama. Ele lia as leis relacionadas à bíblia.

— As bíblias impressas e distribuídas devem ser previamente analisadas pelo Ministério Eclesiástico Federal. A impressão e distribuição de bíblias são permitidas somente após a autorização. A impressão, distribuição ou leitura de textos bíblicos não analisados e autorizados acarretará punições severas para todos os envolvidos. É proibida a utilização de bíblias vindas de outros países, independente do idioma. As bíblias estrangeiras contêm erros de tradução e levam os fiéis ao engano e à blasfêmia. Também fica proibida a distribuição de arquivos eletrônicos com textos bíblicos não analisados e aprovados.

Yoel pensou:

— Tudo é proibido, tudo é crime, tudo é punição.

Ele continuou a leitura em outra página.

— As autoridades eclesiásticas não podem ser julgadas pela justiça comum. Na condição de homens a serviço de Deus, suas decisões são soberanas. Estas autoridades podem ser julgadas somente pela própria igreja.

Yoel prosseguiu naquela leitura enfadonha por mais algumas horas. Ele não gostava daquilo que lia, mas não tinha alternativa.

Deuteronômio

Yoel estava almoçando em um restaurante, acompanhado por uma jovem negra com pele morena clara, olhos castanhos e cabelos castanho-escuros com pequenos cachos até os ombros.

— Yoel, você está feliz com sua igreja?

— Rute, sinceramente, não — disse ele desanimado.

— Por que não?

— Não sei. Não sinto muita sinceridade no líder.

— Você é da Igreja Galáctica do Senhor, não é?

— Sim.

— Já ouvi muitas coisas de lá.

— E você Rute, vai à qual igreja?

— Congregação dos Evangelistas Verdadeiros.

— É um bom lugar?

— Acho que sim. Meus pais sempre frequentaram esta igreja e por consequência, eu também frequento.

Yoel sorriu.

— Acho que este é o caminho da maioria das pessoas. Todo mundo vai à mesma igreja que os pais.

— As igrejas são muito antigas, todas têm mais de cem anos. Todas surgiram durante a Grande Revolução Cristã do Brasil.

— Aquilo foi um marco na história do Brasil. A religião assumiu o controle do país.

— Não tenho muita certeza se isso foi bom para o país — disse Rute em tom triste.

— Por que não tem certeza?

Ela sorriu.

— Deixa para lá. — Ela voltou ao tom normal: — Foi só um comentário idiota. Yoel, você não gostaria de visitar minha igreja? Conhecer outro líder e outra perspectiva da religião?

— Talvez seja algo interessante.

— Você poderia quebrar o ciclo de igrejas passadas dos pais para filhos. Poderia fazer algo diferente.

— Quem sabe.

Eles terminaram a refeição e Yoel disse:

— Vamos embora?

Os dois se levantaram. Rute tinha altura média. Eles conversavam e caminhavam em uma avenida no centro da cidade. Em certo momento, eles chegaram a um cruzamento bloqueado com grades metálicas e havia várias pessoas próximas às grades.

— Rute, o que será isso?

— Não sei. Não me lembro de ter visto nada sobre algum evento hoje.

— Vamos esperar e ver o que é.

Depois de alguns minutos, um caminhão branco passou por aquela rua. Após o caminhão, vieram vários soldados com roupas brancas.

Rute disse:

— Acho que é um desfile do Exército Eclesiástico.

— Deve ser isso... — Yoel se lembrou de algo e disse em tom triste: — Não é só um desfile.

— O que houve? Por que ficou triste? — Estranhou Rute.

— Isso é uma humilhação pública. O Exército Eclesiástico está transportando prisioneiros.

— Será?

— Você vai ver.

Em seguida, veio um soldado gritando em um megafone:

— Vejam os infiéis que capturamos! Todos eles serão julgados e condenados.

Atrás do soldado havia uma fila de homens, mulheres e crianças, algemados e acorrentados. Todos vestiam um macacão cinza e haviam marcas de agressões nos adultos.

Algumas pessoas que estavam observando, gritavam muitos insultos contra os prisioneiros.

— Eles merecem morrer! — disse uma mulher.

— Todos eles vão queimar no inferno! — disse um homem.

Outras pessoas atiravam coisas nos prisioneiros, como pedaços de frutas, lixo, pedras ou qualquer outra coisa que podiam lançar.

Yoel ficou profundamente triste com aquela cena. Ele pensava:

— Deus, é isso que o Senhor deseja? O Senhor concorda com isso?

Ele ficou tão impactado que seus olhos começaram a lacrimejar. Rute percebeu e disse:

— Vamos sair daqui.

Os dois caminharam para longe daquela exibição grotesca de poder e força da religião. Eles foram até uma praça e se sentaram na grama. Yoel estava bastante abalado, ele estava pensativo, passava a mão pelo rosto sem acreditar no que havia visto.

Rute segurou a mão de Yoel e disse em tom triste:

— Foi uma cena muito forte, não foi?

— Foi terrível! — disse com nervosismo. — Trataram aquelas pessoas como lixo, como algo descartável. Ninguém tem compaixão nem amor. Nem mesmo pelas crianças.

— Yoel, mas se eles forem infiéis a Deus, você não acha que devem ser punidos?

— Se são infiéis a Deus, Deus deveria puni-los.

— Faz sentido.

— Rute, estou cansado disso — disse desanimado.

— Cansado de quê?

— Cansado de ver a religião dominar a vida das pessoas — respondeu nervoso. — Cansado de ver tanta injustiça, violência, opressão. As pessoas fazem tudo em nome de Deus.

Uma mulher passou próxima a eles. Rute disse em tom de repreensão:

— Yoel! Cuidado com suas palavras.

Ele suspirou.

— Tento me controlar — respondeu com mais calma. — Mas tem hora que é difícil. São muitas coisas acontecendo.

Rute o abraçou.

— Não se preocupe. Tudo ficará bem.

— Obrigado.

— Acho que depois do que você viu, você não vai querer ir à minha igreja.

— Eu vou, preciso de algo novo em minha vida.

— Ótimo! Pegarei o cartão convite e te entrego amanhã no trabalho.

— Tudo bem. Até amanhã, Rute.

— Até amanhã, Yoel.

Eles se abraçaram e cada um seguiu em uma direção. Rute chegou à sua casa, era uma casa comum em um bairro de classe média. Na parede da sala havia uma foto de duas crianças, um menino e uma menina, ambos negros com pele morena clara. E também a foto de um casal, o homem era negro com pele clara e a mulher negra com pele escura.

Rute olhou as fotos e disse:

— Sinto tanto saudade vocês.

Ela foi até seu quarto e puxou uma mala de couro velha que estava debaixo da cama. Ela abriu a mala e havia um dispositivo eletrônico. Era semelhante a um rádio comunicador. Rute apertou alguns botões e segurou uma pequena caixa preta conectada ao dispositivo por um fio. Ela apertou um botão nesta caixa e disse:

— Como está o clima?

Houve um ruído como a mudança de frequência de um rádio.

— Não há nenhuma nuvem no céu e aí? — respondeu uma voz feminina.

Rute respondeu:

— Acho que vejo uma pequena nuvem se aproximando. Tenho esperança de que irá chover.

Rute desligou e guardou o equipamento e a mala.

Yoel chegou à sua casa e foi assistir televisão em seu quarto. Um jovem jornalista negro disse:

— Mais um país impôs restrições à entrada de brasileiros em seu território. Com este país, os brasileiros possuem restrições em mais de cento e oitenta países no mundo. Nosso especialista em leis, Aharon Shiloh, irá explicar o que significa esta restrição.

Aharon era um homem branco de meia-idade, ele estava ao lado do repórter, e disse:

— Menashsheh, esta restrição não proíbe os brasileiros de entrarem no país, apenas dificulta a entrada.

— Aharon, qual é a dificuldade para o brasileiro?

— Os países que adotam a restrição permitem a entrada somente com justificativas concretas, por exemplo: proposta de trabalho de alguma empresa, visitar parentes próximos e outros compromissos oficiais.

— O brasileiro não pode visitar esses lugares apenas por turismo?

— Não.

— E o que leva os países a imporem este tipo de restrição?

— O principal motivo é como o Brasil trata os turistas

destes países. Ao chegar ao Brasil, todos eles enfrentam muitas restrições.

— E muitos não aceitam, não é mesmo, Aharon?

— Exatamente. Já vimos vários casos de turistas que desistem da viagem quando já estão no Brasil.

— E como você avalia a situação atual do Brasil?

— Menashsheh, o Brasil está praticamente isolado do resto do mundo. Os cidadãos brasileiros não podem visitar a maioria dos países. Além disso, as relações comerciais são bastante limitadas, então, estamos sem acesso a muitos produtos e serviços.

— O governo está fazendo algo para mudar esta situação?

— Sim. Há diversas frentes de trabalho buscando a reconciliação com as outras nações. Creio que em breve teremos boas notícias.

Menashsheh sorriu e disse:

— Deus abençoe que estas notícias venham logo. Aharon, muito obrigado pela sua participação e explicações.

— Eu que agradeço o convite.

Eles se cumprimentaram com um aperto de mãos e Menashsheh disse:

— Daqui a pouco falaremos sobre a prisão de radicais

extremistas. O Exército Eclesiástico desfilou com estas pessoas nas ruas da cidade hoje à tarde.

O vídeo da caminhada dos prisioneiros foi exibido. Yoel se lembrou do que havia visto e desligou a televisão. Ele disse:

— Chega desse horror!

Yoel ligou seu laptop e buscou informações sobre as regras para estrangeiros entrarem no Brasil. Ele acessou o website do Governo Federal. Havia uma lista de recomendações para estrangeiros:

— Apresentar uma justificativa concreta para visitar o Brasil. Exemplo: trabalho, estudo, relacionamento familiar, etc. É proibida a entrada de livros ou qualquer outro material relacionado à religião. Os dispositivos eletrônicos devem ser entregues à autoridade de imigração; os dispositivos serão devolvidos no momento que o visitante deixar o país. O Governo Federal do Brasil fornecerá um laptop para o visitante acessar a internet durante o tempo de permanência no Brasil. O visitante deve informar ao Exército Eclesiástico todo o roteiro de viagem, local de hospedagem, locais e pessoas que visitará, etc. O Exército Eclesiástico avaliará o roteiro e caso encontre algo suspeito, acompanhará o visitante.

— Meu Deus! — disse Yoel. — Qualquer um desiste de vir para o Brasil depois de ver tantas leis.

Yoel continuou a leitura e viu que havia muitas restrições, regras e leis para os estrangeiros. Era como se o Governo do Brasil não quisesse a presença deles no país.

...

Dias depois, Yoel foi à igreja com Rute. O templo era grande como o da Igreja Galáctica do Senhor. O formato era quadrado com paredes de vidro.

Na entrada também havia controle de acesso dos membros, mas eram somente alguns homens que conferiam os cartões de identificação dos membros. Rute mostrou seu cartão.

— Ele está comigo — disse ela.

O segurança disse gentilmente:

— Qual o seu nome?

— Yoel.

O segurança sorriu.

— Yoel, seja bem-vindo à nossa igreja. É um prazer ter você aqui.

— Muito obrigado. — Yoel ficou feliz com a simpatia.

Eles entraram no templo. Em três dos quatro lados do templo havia poltronas acolchoadas posicionadas como arquibancadas em um estádio esportivo.

No centro havia mais poltronas acolchoadas até próximo ao altar.

E no lado sem poltronas havia uma área um pouco mais alta que as poltronas centrais. E nesta havia um pequeno púlpito. Atrás deste havia uma grande tela que exibia a imagem do céu azul com nuvens brancas. Rute e Yoel se sentaram nas poltronas centrais.

De repente, todas as luzes se apagaram e foi tocada uma música calma e relaxante. Um homem branco desceu no meio da tela. Ele usava uma túnica branca e tinha grandes asas nas costas. Era como se o homem estivesse voando.

Durante a descida, várias pessoas na igreja gritaram palavras de louvor e adoração.

— Aleluia!

— Louvado seja Deus!

— Chegou o nosso grande líder!

O homem foi colocado no chão. Ele tinha sessenta e cinco anos, era gordo, careca e não tinha barba. E tinha olhos castanho-claros.

— Todos saúdem o grande líder Yarav'am Hallel! — disse uma voz masculina com empolgação.

Todas as pessoas da igreja ficaram de pé e o aplaudiram.

Yarav'am se curvou em sinal de agradecimento, em

seguida, fez um gesto com as mãos para que todos parassem com os aplausos. Eles pararam e se sentaram.

Yoel pensou:

— Isso é esquisito, mas é melhor do que a reverência mostrada na Igreja Galáctica.

— Obrigado, amada igreja do Senhor — disse Yarav'am com animação. — É um enorme prazer ver todos vocês aqui.

Yarav'am começou a andar pelo altar e disse:

— Todos nós temos muitos motivos para agradecer a Deus por todas as coisas que ele faz por nós. Agora agradecerei por vocês.

As pessoas curvaram suas cabeças e Yarav'am disse algumas palavras ininteligíveis. Estas eram muito diferentes das palavras de Kaim Nabucodonosor.

Yoel pensou:

— O hebraico daqui é um pouco diferente do que estou acostumado.

Yarav'am continuou:

— Todos aqui sabem o que tem que fazer para Deus abençoar suas vidas?

— Sim! — responderam todos.

— O quê? — perguntou Yarav'am.

— Devemos ser fiéis a Deus! — responderam.

Yoel ficou feliz e pensou:

— Está começando a ficar interessante.

— E como somos fiéis? — perguntou Yarav'am.

— Contribuindo para a obra de Deus com tudo o que temos!

— E quando fazemos isso, o que acontece?

— Deus nos dá até mil vezes mais!

— Aplaudam o Senhor! — disse Yarav'am.

Todos aplaudiram e Yoel pensou:

— Retiro o que eu disse.

Yarav'am continuou:

— Vamos ver o que Deus nos diz em sua palavra.

Um texto bíblico foi exibido na tela e todos o leram.

— Tragam o dízimo todo ao depósito do templo, para que haja alimento em minha casa. Ponham me à prova, diz o Senhor dos Exércitos, e vejam se não vou abrir as comportas dos céus e derramar sobre vocês tantas bênçãos que nem terão onde guardá-las. (Malaquias 3:10).

— Vocês acabaram de ler o que Deus mandou e o que ele disse que será a recompensa — disse Yarav'am. — Não sou eu que estou dizendo. É a bíblia. Alguns podem dizer:

"Dízimos e ofertas já são descontados em meu salário, então estou correto diante de Deus."

Yarav'am sorriu.

— Deus não deseja que o sirvamos apenas por obrigação. Ele deseja que o sirvamos com amor e boa vontade. Alguém pode dizer: "Deus entende que tenho contas para pagar e não posso dar mais." Vejamos mais uma vez o que a bíblia diz.

Outro texto bíblico foi exibido e todos o leram.

— 1 Jesus olhou e viu os ricos colocando suas contribuições nas caixas de ofertas. 2 Viu também uma viúva pobre colocar duas pequeninas moedas de cobre. 3 E disse: "Afirmo-lhes que esta viúva pobre colocou mais do que todos os outros. 4 Todos esses deram do que lhes sobrava; mas ela, da sua pobreza, deu tudo o que possuía para viver". (Lucas 21:1-4)

Yarav'am disse:

— A viúva deu uma oferta pequena, mas era tudo o que ela tinha. E esta oferta foi aprovada por Jesus. Lembre-se do texto anterior, Deus disse para colocá-lo à prova. E vocês sabem o que isso significa?

— Sim! — responderam.

— O que significa?

— Devemos entregar tudo o que temos para Deus e ele é obrigado a nos abençoar.

Yoel fez uma expressão de surpresa e desaprovação ao ouvir isso. Ele pensou:

— Deus não tem obrigação nenhuma com ninguém.

Rute notou a expressão de Yoel e deu um pequeno sorriso.

Yarav'am continuou:

— O desafio está feito a todos aqui. Aqueles que realmente confiam em Deus devem doar tudo o que possuem. E devem esperar pela recompensa de Deus. Quem tem coragem e fé para aceitar o desafio?

Muitas pessoas se levantaram e gritaram:

— Eu!

— Os assistentes conversarão com vocês e em seguida orarei a Deus por cada um.

Os assistentes do culto ficaram próximos ao altar. Eram homens jovens vestindo túnicas roxas. As pessoas foram até eles e disseram como iriam doar.

Após as negociações, os assistentes saíram e somente os doadores ficaram próximos ao altar.

— Estas pessoas são corajosas e serão muitíssimo abençoadas por Deus — disse Yarav'am.

Yarav'am disse palavras ininteligíveis e voltou ao português.

— Todos vocês serão abençoados conforme o valor da oferta.

As pessoas voltaram aos seus lugares e Yoel pensou:

— Tudo é muito parecido com a outra igreja.

Yarav'am continuou falando sobre a importância de doar para a igreja e como cada pessoa seria abençoada. Ele falava como um vendedor tentando convencer as pessoas a comprarem algo. Yoel achava tudo aquilo chato e sem sentido.

Depois de mais de uma hora de discurso, terminou sua pregação.

— Esta foi a mensagem que Deus tinha para nós esta noite. Espero que cada um de vocês tenha aprendido algo e esteja disposto a ofertar mais para Deus.

Ele disse mais palavras ininteligíveis e em seguida a música calma e relaxante foi iniciada. Yarav'am foi elevado.

Assim como na descida, várias pessoas gritaram palavras de louvor e adoração.

— O grande homem de Deus está indo embora.

— Um dia este homem estará ao lado de Deus.

Após a subida de Yarav'am, uma jovem negra foi até o altar e disse:

— Convido todos os visitantes a conhecerem o túmulo do nosso fundador Achab Melek. O túmulo está no subsolo da igreja. Visitem e façam pedidos a ele.

Yoel pensou:

— E lá vamos nós de novo, orar para um corpo.

— Vamos lá? — perguntou Rute

Ele suspirou.

— Vamos — respondeu desanimado.

Yoel aceitou somente por consideração a Rute.

Os dois desceram ao subsolo da igreja. O caminho era uma caverna iluminada, esculpida em rocha cinza. O salão do túmulo era branco com paredes feitas de pedras lisas. O túmulo estava no centro, um retângulo elevado de mármore branco Thassos[2] com dois metros de comprimento, um metro de largura e um metro e meio de altura. Em cima do túmulo havia uma estátua do fundador feita de pedra, com

---

[2] Mármore originário da Grécia com alto valor comercial.

dois metros de altura. Achab estava com uma túnica e com os braços erguidos, como se estivesse orando pelas pessoas.

Havia uma fila para tocar a estátua. As pessoas tocavam-na e faziam orações. Yoel disse:

— É sempre assim?

— Sim. E hoje estão somente as pessoas que estavam no culto. Nos outros dias, o túmulo é aberto à visitação pública.

— E muitas pessoas vêm aqui?

— Sim. Pessoas de todo o país vêm visitar o túmulo e orar.

— Que bizarro! — Yoel pensou.

Yoel não conseguia esconder sua expressão de reprovação, Rute a notou.

— Tudo bem? — perguntou ela.

— Sim, estou sentindo calor. Podemos subir?

— Claro!

Os dois saíram dali. E na rua, conversavam enquanto caminhavam.

— Yoel, o que achou da igreja.

— Sinceramente — disse Yoel desanimado, — acho que é quase a mesma coisa da Igreja Galáctica.

— Como assim?

— Rute. O líder é adorado como um deus. Ele fala sobre doar para a igreja. As pessoas oram por um morto. Então tudo igual.

— Não gostou?

Yoel parou e suspirou.

— Rute, me desculpe. Acho que o problema é comigo.

— O quê está acontecendo?

— Não sei explicar. Mas ultimamente, estou com algumas

dúvidas.

— Dúvidas sobre o quê?

— Sobre a religião, sobre os líderes, sobre Deus.

— Você deveria procurar alguém da igreja para conversar sobre isso. Não acha?

— Não sei. Sinto que minhas dúvidas não podem ser formuladas com perguntas ou respondidas por alguma pessoa.

Rute fez uma expressão de surpresa.

— Pode me explicar que tipo dúvida você tem?

— É como se algo me impedisse de acreditar no que os líderes dizem nas igrejas. E também me impede de acreditar na igreja e em tudo o que ela faz.

— Meu Deus! Que estranho.

— Estou confuso.

Rute o abraçou.

— Não se preocupe — disse ela gentilmente, — tudo vai ser resolver.

— Tem certeza?

— Sim.

Rute olhou em seu relógio de pulso e disse:

— Agora, preciso voltar a minha casa.

— Quer que eu te acompanhe?

— Obrigada, mas não precisa.

— Tudo bem. Até mais, Rute.

— Até mais, Yoel.

Cada um foi para sua casa. Rute foi para seu quarto e utilizou o dispositivo eletrônico novamente. Ela disse:

— Como está o clima?

Houve o ruído de rádio.

— Ainda do mesmo jeito. E por aí? — respondeu uma voz feminina.

— A nuvem que vi está crescendo. Acho que não deve demorar para chover.

— Tem certeza?

— Ainda não, mas em breve vou descobrir.

— Se o clima mudar, me avise imediatamente.

Rute desligou e guardou o equipamento.

Em sua casa, Yoel estava sentado em sua cama com uma bíblia nas mãos.

— O que está aqui é realmente a palavra de Deus? — disse em tom triste. — Essa é a verdade para o mundo? Deus, me perdoe por orar em português, mas preciso de sua ajuda. Preciso saber se estou errado ou se são as igrejas e as pessoas que estão erradas. Eu não posso ficar com essa dúvida!

...

Yoel continuou atormentado com suas dúvidas por vários dias. E para tentar compreender mais sobre as igrejas, decidiu visitar outra igreja importante: Os Guerreiros do Exército Divino. Entre as maiores igrejas, esta era a única que não exigia que o visitante tivesse um cartão convite ou estivesse com algum membro da igreja. Qualquer um podia frequentar a igreja e assistir aos seus cultos. Yoel nunca havia ido lá porque considerava aquela igreja muito diferente das outras.

Em uma manhã, Yoel estava indo para esta igreja; ele dirigia um carro azul comum e ouvia o rádio.

— Ontem — disse uma voz feminina, — tivemos mais uma temperatura recorde em nossa cidade, os termômetros marcaram quarenta e sete graus. E o calor não para. Os meteorologistas estimam que a temperatura ultrapasse os cinquenta graus nos próximos dias. Este é o ano mais quente da história do Brasil.

— Meu Deus! — disse Yoel. — Até quando viveremos neste calor infernal?

Yoel chegou à sede da igreja. O local parecia uma base militar. Havia uma cerca de tela com arame farpado em cima.

Ele entrou pelo portão e havia um detector de metais. Homens com roupas brancas e armas de grosso calibre acompanhavam a passagem das pessoas pelo detector. Eles usavam boina e tinham expressões intimidantes.

Yoel pensou:

— Essa recepção desanima qualquer um.

Yoel observou tudo e notou que o local era realmente uma base militar, com equipamentos em todas as partes.

Yoel caminhou até chegar ao templo, que neste caso, era uma tenda de tecido verde-escuro com formato retangular.

Havia duas fileiras de bancos de madeira. O chão também era de madeira. Tudo indicava que aquele não era o local fixo da tenda, ela foi colocada ali para o culto.

Yoel se sentou na parte de trás e notou todas as pessoas que chegavam.

A igreja era frequentada somente por homens, a maioria jovens. Eles não vestiam túnicas, vestiam roupas militares brancas.

Depois de alguns minutos, foram tocados tambores em ritmo de marcha, e todos os membros ficaram de pé e simularam a marcha. O líder da igreja, Chaza'el Phares, entrou pela frente da tenda e se posicionou a frente dos bancos. Ele usava roupas militares brancas, tinha cinquenta anos e era branco com pele clara. Ele tinha altura e peso médios, e porte físico atlético. Seu cabelo era preto e curto, com cabelos brancos nas laterais, sua barba era curta e cheia com cabelos brancos no queixo. E seus olhos eram azul-claros. Chaza'el tinha algumas cicatrizes no rosto, uma chamava a atenção, iniciava próximo ao olho direito e terminava no queixo.

— Exército Divino, qual é a sua missão? — gritou Chaza'el.

— Limpar toda a sujeira de nossa nação! — Os membros responderam gritando.

— Exército Divino, o que fazemos todos os dias? — perguntou Chaza'el.

— Combatemos toda a falsidade e mentiras! — responderam.

— Exército Divino, quando este trabalho vai acabar?

— Somente no dia que Deus me convocar!

— Declarem o nosso juramento! — gritou Chaza'el.

— Somos os Guerreiros do Exército Divino. — Todos diziam a uma só voz. — Estamos em uma missão em nome do único e verdadeiro Deus. Temos que destruir tudo o que é contra o Senhor, independentemente do que ou quem seja. Não temos misericórdia nem pena daqueles que pecam contra Deus.

Em seguida, todos bateram a mão direita no peito e gritaram:

— Por Deus, por nossa nação e por nossas famílias.

— Guerreiros, descansem! — gritou Chaza'el.

Os membros se sentaram. Yoel abaixou sua cabeça e fez uma expressão de medo e surpresa. Ele pensou:

— Por que eu vim aqui? Acho que deveria ter acreditado no que estava na Internet.

Chaza'el disse em tom mais calmo:

— Vamos ver o que Deus disse que devemos fazer neste mundo. — Chaza'el abriu uma pequena bíblia e leu: — *Contudo, nas cidades das nações que o Senhor, o seu Deus, lhes dá por herança, não deixem vivo nenhum ser que respira. Conforme a ordem do Senhor, o seu Deus, destruam totalmente todos os infiéis ao Senhor. Se não, eles os ensinarão a praticar todas as coisas repugnantes que fazem quando adoram os seus deuses, e vocês pecarão contra o Senhor, o seu Deus.*[3]

Chaza'el fechou sua bíblia.

— Vocês acabaram de ouvir a orientação de Deus para todos os seus servos. Devemos destruir todos os que são infiéis ao Senhor. E eu pergunto a vocês, quem são os infiéis?

— Todos os que não seguem a verdadeira mensagem de Deus — responderam gritando.

— E onde está esta mensagem? — gritou Chaza'el.

— Está na bíblia sagrada — responderam.

— E o que fazemos com os infiéis?

— Destruímos, aniquilamos, matamos! — Todos gritaram

---

[3] Texto original Deuteronômio 20:16-18: Contudo, nas cidades das nações que o Senhor o seu Deus, lhes dá por herança, não deixem vivo nenhum ser que respira. 17 Conforme a ordem do Senhor, o seu Deus, destruam totalmente os hititas, os amorreus, os cananeus, os ferezeus, os heveus e os jebuseus. 18 Se não, eles os ensinarão a praticar todas as coisas repugnantes que fazem quando adoram os seus deuses, e vocês pecarão contra o Senhor, o seu Deus.

com muito entusiasmo.

Yoel pensou com preocupação:

— Isso aqui não é um culto. É um treinamento para mercenários.

Chaza'el abriu a bíblia novamente.

— Vamos ver um grande exemplo de purificação do povo de Deus, está no segundo livro dos Reis, capítulo vinte e três, versículos dezenove e vinte: "Como havia feito em Betel, Josias tirou e profanou todos os santuários idólatras que os reis de Israel haviam construído nas cidades de Samaria e que provocaram a ira do Senhor. Josias também mandou sacrificar todos os sacerdotes daqueles altares idólatras e queimou ossos humanos sobre os altares. Depois voltou a Jerusalém." Alguém tem alguma dúvida sobre o que devemos fazer?

— Não! — responderam.

— O rei Josias foi um homem corajoso que fez aquilo que era necessário para o país. Ele matou todos os sacerdotes idólatras e destruiu os altares. Devemos repetir estas ações, pois há muitos falsos sacerdotes e altares. — Chaza'el começou a falar com desdém: — Por exemplo, na Igreja Galáctica. Aquele velho gordo está sempre enganando as pessoas. Ele tem cinco esposas, e com isso está desonrando o sagrado matrimônio, que deve ter somente duas pessoas, homem e mulher. E na Congregação dos Evangelistas Verdadeiros, aquele pastor pensa ser um anjo enviado por Deus, mas sua única missão é arrecadar dinheiro para manter sua vida luxuosa.

Chaza'el sorriu.

— O tempo deles está acabando — disse com convicção.

— Em breve, todos irão pagar por desonrar o nome de Deus.

Yoel pensou:

— Eles são muito radicais e confiantes. E nem mesmo escondem seus planos.

— Guerreiros, preparem-se para a batalha! — gritou Chaza'el.

Os membros ficaram de pé e gritaram enquanto batiam a mão direita fechada no peito.

— Au! Au! Au!

Chaza'el gritou:

— O tempo está acabando e a batalha está se aproximando.

— Esta é a hora de limpar nossa nação! — Os membros responderam energicamente.

Yoel ficava cada vez mais horrorizado com as atitudes dos membros da igreja, se é que ele podia chamar aquele lugar de igreja, tudo indicava que eles eram um grupo extremista disposto a fazer qualquer coisa para aplicar suas ideias; para eles não havia limites.

— Guerreiros, dispensados! — gritou Chaza'el.

Todos começaram a sair da tenda e Yoel saiu o mais rápido possível. Ele não conversou com ninguém dali.

Durante a volta para casa, ele estava dirigindo e pensando:

— Acho que agora estou com mais dúvidas do que antes. O líder daquele grupo leu um texto que de certa forma dá respaldo para fazerem uma guerra santa. Será que isso é a vontade de Deus? Será que Deus quer que as pessoas lutem umas contra as outras devido à religião? Será que existe outro caminho?

Muitas dúvidas atormentavam Yoel, e nenhuma resposta era obtida. Lentamente, ele estava perdendo sua fé em tudo o que havia aprendido desde criança.

1 Samuel

Trinta anos atrás

A mulher levou Samuel a outro bairro residencial comum, parecido com o aquele que ele morava. Samuel observou as casas e se lembrou de como era o seu bairro e de como havia ficado. Samuel pensou:

— Será que esse bairro também vai ser destruído?

O carro parou em frente a uma casa. A mulher disse:

— Vamos conhecer uma pessoa.

Eles saíram do carro e caminharam até a porta da frente da casa. A mulher tinha altura e peso médios, cabelos pretos com pequenos cachos até as orelhas. Seus olhos eram castanho-escuros.

Ela bateu na porta e uma mulher branca de meia-idade abriu. A mulher tinha pele clara, cabelo castanho-claro até nas orelhas e olhos castanhos.

Ela disse sorrindo:

— Oi, Rebeca. Tudo bem?

— Mais ou menos, Marta — respondeu Rebeca com desânimo.

— O que houve?

— O de sempre, outro ataque do Exército Eclesiástico.

Marta fez uma expressão de espanto.

— Meu Deus! — disse tristemente. — Houve algum

sobrevivente?

— Sim, este menino.

Marta olhou para Samuel e disse com tristeza:

— Sinto muito por seus pais. Eles estão com Deus agora.

Samuel respondeu um pouco nervoso:

— Eles estão com Deus e eu estou sozinho. Grande coisa.
— Ele disse a última parte ironicamente.

— Ele tem todos os motivos do mundo para estar nervoso
— disse Rebeca.

— Você precisa de ajuda com ele?

— Sim. Por isso vim aqui.

Marta sorriu.

— Obrigada. Você sabe o quanto gosto de crianças.

Rebeca sorriu e disse:

— Sim, eu sei. Obrigado pela ajuda.

Marta disse a Samuel:

— Qual o seu nome?

— Samuel.

— Samuel, a partir de agora você ficará comigo. Vou cuidar de você como se fosse meu filho.

— Tudo bem — respondeu desanimado.

Rebeca abraçou Marta e disse:

— Muito obrigada pela ajuda.

Ela disse para Samuel:

— Samuel, você está em ótimas mãos.

Rebeca estava voltando para seu carro e Samuel gritou:

— Espere!

Ela parou e Samuel correu até ela. Rebeca se abaixou e o abraçou. Samuel disse chorando:

— Obrigado por me salvar.

Rebeca também começou a chorar.

— Agora você está seguro. Tudo vai ficar bem.

— Promete?

— Prometo. Eu sempre virei te visitar.

— Obrigado!

Samuel abraçou-a com mais força. A recente perda do garoto o assombrava. Seus pais foram mortos naquela manhã e agora, a pessoa que o resgatou estava indo embora. Tudo estava muito confuso para ele.

Após a despedida emocionada, Samuel entrou na casa de Marta, e Rebeca foi embora com seu carro.

Samuel se sentou no sofá da sala. Ele estava um pouco envergonhado e parecia perdido naquele ambiente. Ele olhava todas as coisas ao redor tentando encontrar algo familiar. A única coisa familiar que ele viu foi uma bíblia com capa vermelha em cima de um móvel, seus pais tinham uma idêntica.

Mas todo o resto era novo, ele não sabia nada sobre Marta, sobre sua casa ou sua vida. Ela notou a expressão do garoto e disse gentilmente:

— Sei que tudo é um pouco esquisito, mas pode ficar tranquilo. Pode perguntar o que quiser.

Samuel apontou para a bíblia e disse:

— Meus pais tinham uma igual.

Marta pegou a bíblia, se sentou ao lado do garoto.

— Seus pais seguiam a Deus verdadeiramente.

— O que isso quer dizer?

— Quer dizer que eles acreditavam em Deus pelo motivo certo.

— Qual é o motivo certo?

— Acreditar que Deus é o criador de todas as coisas e que ele ama todas as pessoas. Seus pais confiavam em Deus em todas as situações.

Samuel pensou um momento e disse:

— Eles confiaram em Deus no momento que estavam sendo atacados?

— Sim.

— Eles morreram; então, Deus falhou?

— Não, Samuel. Deus nunca falha.

— Então, por que isso aconteceu com eles e comigo?

Marta ficou um pouco desconfortável com a pergunta de Samuel. Ela se lembrou de um texto da bíblia.

— Vamos ver um exemplo na bíblia. — Marta abriu a bíblia e leu: — "Digo a mim mesmo: A minha porção é o Senhor; portanto, nele porei a minha esperança. O Senhor é bom para com aqueles cuja esperança está nele, para com aqueles que o buscam; é bom esperar tranquilo pela salvação do Senhor.[4]" Seus pais esperavam pela salvação de Deus. A salvação não é somente neste mundo; é a salvação para a vida eterna. Eles acreditavam que não importava o que acontecesse, eles já estavam salvos por Deus. Eles morreram neste mundo, mas agora estão ao lado de Deus.

— Sua resposta foi interessante — disse Samuel com desconfiança. — Mas é difícil de aceitar. A senhora me entende?

— Entendo perfeitamente. Você viu uma coisa horrível hoje.

Samuel disse em tom triste:

— Hoje de manhã, eu estava brincando com um amigo. E agora, estou aqui na sua casa. Sem meus pais, sem meu amigo, sem ninguém que eu conhecia. Eu queria entender por que essas coisas acontecem.

— Vou te mostrar outro texto na bíblia. — Marta abriu a bíblia e leu o texto: "Até quando, Senhor, clamarei por socorro, sem que tu ouças? Até quando gritarei a ti: "Violência!" sem que tragas salvação? Por que me fazes ver a injustiça, e contemplar a maldade? A destruição e a violência

---

4 Lamentações 3:24-26

estão diante de mim; há luta e conflito por todo lado. Por isso a lei se enfraquece e a justiça nunca prevalece. Os ímpios prejudicam os justos, e assim a justiça é pervertida.⁵"

— Parece que quem escreveu isso estava comigo em casa.

— As palavras do profeta Habacuque são as mesmas que dizemos hoje. Sempre vemos violência e injustiça neste mundo. Pedimos a Deus, mas parece que ele não nos ouve. Mas isso não é verdade; Deus sempre ouve o que as pessoas dizem. E ele espera que as pessoas boas lutem contra o mal.

— Como assim?

— O que seus pais esperavam de você? O que você fazia para deixá-los feliz?

— Eu respeitava e obedecia ao que eles diziam. Fazia o que eles pediam. Não fazia nada errado.

— Deus espera a mesma coisa de nós. Ele espera que as pessoas obedeçam e façam o que ele pede.

Samuel ficou pensativo e disse:

— E onde está o que Deus pede?

— Está na bíblia.

— E aquelas pessoas que atacaram meus pais, quem

---

⁵ Habacuque 1:2-4

pediu para fazerem isso?

— Eles foram enganados por muitas mentiras. Eles acreditam que pessoas como seus pais são o inimigo. Mas, na verdade, eles são o verdadeiro inimigo.

— Então, há uma guerra?

— Infelizmente, sim — disse Marta em tom triste. — Há uma batalha entre a religião verdadeira e a religião falsa.

— Por que uma é verdadeira e a outra é falsa?

— Porque a religião verdadeira segue o que Deus disse. E a religião falsa segue o que as pessoas dizem. Esta bíblia em minhas mãos contém o mesmo texto da bíblia que estava na sua casa. Este é o texto correto, utilizado no Brasil até alguns anos atrás. E ainda é usado no resto do mundo.

— E existem outras bíblias e outros textos?

— Sim. As pessoas que atacaram seus pais seguem outra bíblia com muitas alterações. E estas alterações dizem que o que eles fazem é certo.

— E como sabemos se nós não estamos do lado errado? — Samuel ficou confuso.

— Samuel, pense comigo. O que seus pais faziam?

— Trabalhavam, oravam, liam a bíblia, falavam com outras pessoas sobre Deus.

— Eles já atacaram alguém alguma vez? Eles já bateram em alguém por causa da religião?

— Acho que não.

— E você acha que Deus concorda com o que aquelas pessoas fizeram no seu bairro? Você acha que Deus iria querer uma coisa daquelas?

— Acho que não. A senhora disse e meus pais também diziam que Deus ama as pessoas. Ele não iria querer machucar ninguém.

— Quem parece estar do lado errado?

— Quem machuca as pessoas.

Marta passou a mão sobre a cabeça de Samuel e disse com entusiasmo:

— Você é um garoto muito especial!

Samuel sorriu e por um instante não pensou na dor da perda dos pais.

Os dias passaram e Samuel foi sendo consolado por Deus. O garoto sentia muito a falta dos pais, mas sabia que eles haviam morrido por uma causa justa e agora estavam com Deus na eternidade.

Samuel fez amizade com outras crianças daquela vizinhança e sempre brincava com elas.

Marta ensinava muitas coisas para Samuel, ela ensinava as matérias escolares e também sobre a bíblia. Ele aprendia tudo com facilidade; para ele não havia matéria difícil.

Meses depois

Rebeca foi à casa de Marta. Samuel abriu a porta e ficou muito feliz ao vê-la. Ele a abraçou e disse com animação:

— Tia Rebeca! Senti sua falta.

— Também sentia a sua falta, Samuel.

Ela entrou e disse com animação:

— Chame sua tia Marta. Tenho novidades.

Samuel foi para outra parte da casa e em seguida, Marta veio com ele. Todos se sentaram no sofá, Rebeca em frente a eles.

Rebeca abriu sua bolsa e entregou um envelope a Marta.

— O que é isso, Rebeca?

— Essa é a nova documentação do Samuel.

— Nova documentação? — Ele estranhou.

— É isso mesmo, Samuel — disse Rebeca. — Você agora tem um novo nome.

— Novo nome? Por quê?

— Samuel — disse Marta. — O governo acredita que todos morreram naquele dia. Se você usar o sobrenome dos seus pais, eles saberão que você está vivo e virão atrás de você. E ninguém quer que isso aconteça.

— É verdade — respondeu Samuel. — E qual será meu novo nome?

Marta abriu o envelope, viu a certidão de nascimento e disse:

— Samuel Jamin.

— Jamin? — perguntou Samuel.

Rebeca disse:

— Precisávamos de um nome hebraico antigo para não gerar suspeitas. Mas conseguimos manter seu primeiro nome.

— Obrigado — respondeu Samuel.

— Agora, você poderá voltar à escola — disse Marta.

— Mas tem um detalhe.

— O quê? — perguntou Samuel.

— Você vai ter que usar túnicas. Assim, você será igual às outras crianças.

— Tudo bem — disse Samuel.

— Tem outra coisa — disse Rebeca. — Quando alguém te perguntar sobre seus pais, você vai dizer que eles morreram em um acidente de carro. E vai dizer que você mora com uma amiga da família.

— Já sei — disse Samuel. — Ninguém pode saber do meu passado.

— Exatamente!

— Samuel — disse Marta. — Tudo parece estranho, mas é para a sua segurança.

— Eu sei. Aquelas pessoas são muito perigosas.

Rebeca disse em tom triste:

— Não queríamos que fosse assim, mas não temos opção.

— Tudo bem. Obrigado por me ajudarem com tudo. Obrigado por me darem uma nova vida.

Samuel abriu seus braços e elas o abraçaram.

Anos depois

Samuel se tornou um adolescente muito talentoso em tudo o que fazia. Ele era um dos melhores alunos em sua escola. E em seu bairro, era muito dedicado ao estudo da bíblia e sempre pregava para as pessoas. Todos reconheciam que Samuel era usado por Deus em suas pregações, pois suas palavras tocavam as pessoas profundamente.

Em uma tarde, Samuel chegou em casa após a escola e percebeu que Marta estava muito eufórica, ela andava pela casa como se procurasse algo. Ele foi até a cozinha.

— Tia, aconteceu algo?

— Não, quer dizer, sim — disse com nervosismo.

— O que houve?

— Precisamos sair daqui imediatamente!

— O que aconteceu?

— O Exército Eclesiástico descobriu nosso bairro! — Ela disse com preocupação. — Temos que ir!

Samuel se lembrou do dia da morte de seus pais. Por um momento, ele se sentiu como o menino indo para o porão. Ele voltou a si.

— Mas tia, não podemos lutar?

— Lutar? Você está maluco? Não temos nenhuma chance!

— Por que não?

— Eles são muitos, se vencermos uma batalha, mais soldados virão. E se vencermos de novo, ainda mais soldados virão. Será uma guerra sem fim.

— Já vivemos uma guerra sem fim. — Samuel disse desanimado.

— É uma guerra que podemos sobreviver.

Samuel jogou a mochila no chão e disse nervoso:

— Estou cansado desse círculo vicioso! Não vivemos, apenas sobrevivemos.

— Sei que é ruim viver assim, mas não temos escolha. — Marta disse em tom calmo.

— Temos uma escolha! Podemos lutar, podemos atacá-los antecipadamente ao invés de ficar esperando por eles.

— Samuel, reconheço que sua ideia é boa, mas não vai

funcionar.

— Por que não? Alguém já tentou?

— Não.

— Tia, meus pais me ensinaram sobre a palavra de Deus e, ao mesmo tempo, me ensinaram que devemos lutar com todas as nossas forças pelo que é certo. Eles morreram tentando se salvar e salvar outras pessoas.

— Seus pais foram heróis, mas agora não temos tempo para o heroísmo. Pegue suas coisas e vamos embora.

— Mas tia.

— Samuel, sem desculpas! — disse com firmeza. — Arrume suas coisas e vamos sair daqui!

Samuel foi para seu quarto arrumar suas coisas contra a sua vontade. Ele preparou duas bolsas grandes.

Depois de aproximadamente uma hora, Rebeca chegou na frente da casa com seu carro e buzinou. Samuel e Marta entraram no carro.

Samuel notou que em todas as casas as pessoas estavam se preparando para fugir. Todos colocavam as malas em seus carros. Todos haviam perdido suas vidas estáveis. Todos os pertences e sonhos deveriam ser deixados para trás. E tudo isso por um simples motivo: eles seguiam a

Deus verdadeiramente e não uma religião falsa e mentirosa.

Rebeca saiu rapidamente e disse:

— Vou levá-los para um local seguro.

Samuel estava no banco de trás.

— Seguro até descobrirem onde estamos, e aí, vamos fugir de novo — ele disse ironicamente.

— Samuel — disse Rebeca. — Infelizmente, é assim que as coisas funcionam.

— Assim que falei para ele sobre nossa fuga — disse Marta. — Ele disse que deveríamos lutar.

— Concordo com você, Samuel — disse Rebeca. — Mas este não é o momento para isso. Não temos gente suficiente.

— Não tem gente suficiente? — estranhou Samuel. — Só neste bairro deve ter mais de duzentas pessoas que seguem a Deus verdadeiramente! Eles não podem lutar?

— Essas pessoas não são combatentes, são apenas famílias cristãs. Você já viu alguma arma por aqui?

Samuel pensou e disse:

— Não.

Rebeca continuou:

— Essas pessoas não têm treinamento para um combate.

— Mas deveriam. Todos sabem dos riscos.

Marta disse:

— Algumas pessoas já entenderam isso e fizeram o treinamento, mas ainda são poucos.

Samuel suspirou e disse:

— O treinamento de combate deveria começar com o estudo da bíblia.

Rebeca freou bruscamente e Marta:

— O que foi isso? — perguntou Marta.

— Olha ali na frente — respondeu Rebeca.

Todos olharam e havia uma barreira do Exército Eclesiástico. Havia vários carros, caminhões e soldados.

Rebeca virou seu carro e entrou em outra rua.

— Essa foi por pouco — disse ela aliviada.

Ela olhou no espelho retrovisor e viu que estava sendo seguida por um carro branco.

— Acho que comemorei cedo demais.

Marta e Samuel olharam para trás e ficaram apreensivos.

— E agora? — perguntou Samuel.

— Vou ter que improvisar — disse Rebeca.

Ela começou a dirigir em alta velocidade pelas ruas de um bairro residencial, ela entrava em várias ruas para tentar despistar seus perseguidores. Todos no carro estavam aflitos com aquela situação.

Após alguns minutos de fuga, todos olharam ao redor e não havia ninguém seguindo.

— Conseguimos escapar? — perguntou Samuel.

— Parece que sim — disse Rebeca.

— O que vai fazer?

— Preciso pensar — disse Rebeca apreensiva. — O Exército Eclesiástico deve ter bloqueado algumas ruas para interceptar todos que estão tentando fugir.

— Como eles sabem quem está tentando fugir?

— Eles têm uma lista de suspeitos — disse Marta. — Neste caso, todas as pessoas que moram naquele bairro.

— Todo mundo? Como?

— O Exército Eclesiástico recebe denúncias anônimas e investiga cada uma delas. Quando eles têm algo concreto, fazem esse tipo de operação.

— Entendi, e quando algum suspeito passa pela barreira, o que acontece?

Rebeca respondeu:

— Eles prendem o suspeito e o torturam até que diga algo que considerem útil.

— Meu Deus! Que horror! — disse Samuel.

— É algo terrível!

O carro foi atingido por outro carro e bateu em um muro. Os três ficaram desacordados por alguns instantes. Em seguida começaram a acordar, todos ainda desorientados com a batida. Rebeca olhou em volta e viu que alguns soldados se aproximavam. Ela sacou sua pistola e atirou contra eles. Os soldados se esconderam. Rebeca gritou:

— Samuel! Marta! Vocês estão bem?

— Acho que sim — respondeu Samuel.

— Sim — respondeu Marta.

— Vamos sair daqui! — disse Rebeca.

Eles saíram do carro e correram para o quintal de uma casa. Enquanto corriam, o Exército Eclesiástico avançava atirando. As balas passavam bem próximas a eles e atingiam tudo ao redor. Marta e Samuel ficaram bastante apavorados com aquilo. Rebeca conseguia manter a calma, pois estava mais acostumada aos combates.

Os três se esconderam atrás da casa. Rebeca observava furtivamente a movimentação dos soldados. Eles estavam cada vez mais próximos; já estavam na frente da casa. O comandante, um homem branco de meia-idade, gritou:

— Não adianta se esconder! Vamos encontrar vocês,

infiéis! — Ele sorriu e disse: — E vocês sabem o que acontece com os infiéis.

Rebeca olhou em volta e havia um muro atrás deles com aproximadamente três metros. Ela disse sussurrando:

— Samuel, consegue subir e ver o que tem atrás do muro?

— Sim.

Samuel correu para o muro, subiu e ficou pendurado pelas mãos vendo o que havia do outro lado. Ele desceu e disse:

— Tem algumas árvores, é como uma pequena mata.

— Isso é perfeito! — disse Rebeca. — Ajude sua tia Marta a subir enquanto protejo vocês.

— Tudo bem.

Samuel apoiou suas costas no muro e fez um degrau com as mãos.

— Vou correr como você para ter impulso — disse Marta.

Marta correu para Samuel, pisou no degrau que ele havia feito e Samuel a impulsionou para cima. Marta agarrou o topo do muro e terminou de subir. Ela desceu do outro lado.

— Vamos, tia Rebeca.

Rebeca olhou para a frente da casa e os soldados já haviam entrado no quintal. Ela disse:

— Vai primeiro, Samuel. Vou atrasar o Exército Eclesiástico.

Rebeca disparou algumas vezes contra os soldados e conseguiu detê-los. Samuel correu, subiu no muro e passou para o outro lado.

Rebeca correu e também subiu no muro. Quando ela estava descendo, os soldados viram-na e dispararam contra o muro. Ela pulou para o outro lado. Os três se abaixaram para se proteger. O muro era grosso e nenhuma bala o atravessou.

Rebeca fez um sinal para Samuel e Marta, indicando que eles deveriam sair dali. Os três se levantaram e correram pela mata, após alguns passos, ouviram tiros e notaram as balas atingindo folhas, galhos e o chão.

Todos correram o mais rápido que podiam, e de repente Marta gritou:

— Samuel!

Ele e Rebeca olharam e viram que ela havia sido atingida no abdômen. Marta tocou a ferida e o sangue molhou sua mão.

— Tia Marta! — Samuel gritou desesperado.

Rebeca ficou impactada inicialmente, mas disse com

seriedade:

— Samuel, temos que ir!

— E ela?

— Samuel, infelizmente, não podemos fazer nada por ela.

Marta foi atingida por mais tiros e caiu no chão. E em seu último esforço, ela disse:

— Deus está com você Samuel, nunca se esqueça disso.

Samuel começou a chorar. Rebeca o puxou pelo braço e disse:

— Vamos!

Os dois continuaram fugindo por aquela mata, pois a necessidade de sobrevivência estava acima da vontade de chorar a perda de um ente querido.

Joel

Yoel continuava com muitas dúvidas sobre a fé. Ele não duvidava da existência de Deus, porém, duvidava do que os líderes das igrejas falavam de Deus.

Yoel continuou indo à Igreja Galáctica apenas para evitar questionamentos das pessoas. Ele ia aos cultos, mas não prestava atenção no que era dito pelo líder.

Certa manhã, ele se levantou e percebeu que não estava calor, ele pensou:

— Finalmente, um dia com temperatura amena.

Ele olhou para a janela de seu quarto e viu que ela estava com gotas de água. Yoel sorriu e disse surpreso:

— Está chovendo?

Ele foi até a janela e viu a chuva caindo.

— Graças a Deus está chovendo!

A chuva estava calma e produzia uma sensação de relaxamento. Yoel ficou algum tempo olhando a chuva. Fazia muito tempo que ele não a via.

Depois desse momento de êxtase, Yoel foi ao banheiro e se olhou no espelho. Ele fez uma expressão de grande surpresa.

— O que aconteceu comigo?

Yoel estava sem barba e com o cabelo curto.

— Meu Deus! — disse preocupado. — Cadê minha barba e meu cabelo? Não me lembro de ter raspado a barba ou cortado o cabelo.

Yoel saiu de seu quarto e gritou:

— Mãe! Pai!

— Yoel, estamos na cozinha — respondeu Devorah.

Yoel foi até a cozinha e ficou ainda mais surpreso. Seus pais não usavam túnicas, eles usavam calças e camisetas. Yehudi também estava sem barba e com o cabelo curto.

— O que aconteceu aqui? — perguntou Yoel desesperado.

Yehudi e Devorah se entreolharam e fizeram expressões de surpresa, pois não haviam entendido a pergunta de Yoel.

— Do que está falando? — perguntou Yehudi.

— O que aconteceu com a gente? — perguntou Yoel com exaltação. — Por que vocês estão com essas roupas? Onde estão sua barba e cabelo? E onde estão minha barba e meu cabelo?

Devorah sorriu.

— Yoel — disse ela. — Não se preocupe com isso.

— Meu amor — disse Yehudi. — Acho que ele se

esqueceu do que aconteceu.

— Por favor, me diga o que aconteceu!

— Yoel — disse Devorah. — Agora tudo é novo, nós não vivemos mais de acordo com aquela velha lei da igreja. Agora somos livres.

— Livres? — Yoel estranhou. — E as penalidades? E as punições para quem deixa de cumprir as leis?

Yehudi fez uma expressão de surpresa.

— Yoel, você está falando sério? — perguntou ele. — Tudo isso é passado.

Yoel ficou ainda mais confuso. Ele passou as mãos no rosto e andava de um lado para o outro. Parecia que ele havia acordado em outra vida.

A campainha tocou

— Deve ser nossa convidada — disse Devorah.

Devorah atendeu a porta da frente e era Rute. Ela estava vestindo calça jeans e uma camiseta sem mangas. Yoel olhou para ela e ficou surpreso. Ele disse:

— Rute — disse ele. — Você também foi afetada?

Rute sorriu.

— Afetada?

— Sim — respondeu Yoel. — Tudo está diferente: eu,

meus pais e agora você. Eu não sei o que aconteceu e eles ainda não me disseram.

— Yoel, sente-se — disse Rute. — Vou te explicar.

Yoel e Rute sentaram-se no sofá. Rute pegou sua mão e disse calmamente:

— Está tudo bem. Sei que você não acredita que isso é verdade, mas é. Não somos obrigados a fazer nenhuma das coisas antigas. Aquele tempo passou.

— Como tudo mudou?

— Yoel, você sabe. Você participou de tudo.

— Eu? — Yoel ficou surpreso.

— Sim, você, eu, seus pais e muitas outras pessoas.

— E como começou a mudança?

— Começou com isso — disse Devorah.

Devorah mostrou-lhe um livro com a capa vermelha. Estava escrito na capa: "Bíblia Sagrada". Yoel olhou para a bíblia como se fosse a primeira vez que a visse.

— Nunca vi essa bíblia. É nova?

— Você ainda não viu — disse Rute. — Mas a verá em breve.

Yoel acordou assustado, se levantou e correu para o espelho. Ele se olhou sua barba e cabelo comprido. Yoel lavou o rosto e se olhou de novo. Ele pensava:

— Que sonho foi esse? Uma loucura total, mas não seria ruim se fosse verdade.

Em seguida, Yoel foi até a janela e olhou para o tempo. Não havia nuvens no céu, parecia mais um dia quente.

Yoel seguiu sua rotina diária e foi trabalhar. Ao chegar lá, viu Rute e se lembrou do sonho. No entanto, ele não disse nada, ele agiu normalmente.

Por volta da hora do almoço, Rute foi ao posto de trabalho de Yoel.

— Yoel, vamos almoçar juntos?

— Sim.

Eles saíram do prédio e foram a um restaurante. Eles conversavam enquanto comiam.

— Como está? — perguntou Rute.

— Estou bem. E você?

— Também estou bem. Você ainda tem dúvidas?

Yoel suspirou.

— Infelizmente, sim.

— Procurou alguma ajuda?

— Não.

— Por quê?

— Acho que vai piorar minha situação.

— Por que acha isso?

— Todas as pessoas que conheço estão envolvidas nesse meio. Então, não sei se a visão de alguém assim pode me ajudar. Se possível, gostaria de falar com alguém com uma visão diferente.

— Você vai precisar de um estrangeiro. — Rute sorriu.

— Verdade. — Yoel sorriu. — Eles são os únicos que poderiam me ajudar.

Eles acabaram de comer e foram para uma praça. Eles se sentaram na grama. Yoel ficou olhando em volta, como se procurasse alguma coisa. Rute estranhou aquele comportamento.

— O que está acontecendo?

— Você já teve um sonho muito estranho e desejou que pelo menos parte dele fosse verdade?

— Sim. Acho que é algo comum.

— Mas acho que meu sonho não foi tão comum.

— O que você sonhou? Pode me dizer?

— Sim. Sonhei que tudo era diferente. Eu não tinha barba nem cabelo comprido. Meus pais também estavam diferentes, meu pai estava sem barba e cabelos compridos. E os dois não vestiam túnicas, eles usavam calça e camiseta. Você estava no meu sonho também, você vestia calça jeans e uma camiseta sem mangas. Você e meus pais diziam que tudo mudou e tudo começou com uma bíblia de capa vermelha.

Rute pensou:

— Deus, obrigado pela confirmação das minhas orações.

— Que esquisito! — disse ela em tom surpreso. — Tudo o que você disse é muito estranho.

— Também acho a mesma coisa. E não paro de pensar nesse sonho. Por mais que não entendesse o que havia acontecido, sentia que aquele mundo era bom. Vocês não pareciam preocupados com as regras da religião. Parecia que vocês aproveitavam a liberdade.

— Yoel, a liberdade é uma coisa ótima.

— No entanto, esse nível de liberdade parece algo impossível.

Rute pegou a mão de Yoel e disse confiante:

— Yoel, para nós, parece impossível, mas para Deus tudo é possível.

— Que belas palavras! — Yoel ficou surpreso com as palavras. — Onde ouviu?

— Não ouvi, li na bíblia.

— Na bíblia? Onde? Não me lembro de ter visto esse texto.

— Está lá. Mateus, capítulo dezenove, versículo vinte e seis. Você não conhece porque as pessoas dificilmente falam sobre textos como este. Todo mundo sempre fala sobre textos relacionados ao dinheiro, poder e dominação.

— Tem razão. Acho que se fizermos uma lista de todos os textos lidos nas igrejas, não teremos mais do que algumas páginas.

— Verdade.

Ela olhou para o relógio de pulso.

— Yoel, precisamos voltar ao trabalho.

Ela se levantou.

— O tempo passou tão rápido — disse ela.

Yoel também se levantou.

— Tivemos um bom momento. Obrigado por me ouvir, Rute.

Rute o abraçou.

— Yoel, gosto de te ouvir e falar com você.

Eles voltaram ao trabalho.

No final do dia, Yoel chegou à sua casa e viu um envelope vermelho em cima de um móvel da sala, estava escrito apenas: "Para Yoel."

O envelope era grande, do tamanho de uma folha A4[6], e continha algo parecido com um livro.

------

[6] 297×210 milímetros (29,7×21 centímetros) ou 8.3×11 polegadas.

Yoel estranhou o envelope, pois não esperava nenhum pacote. Ele abriu o envelope e havia um CD com a seguinte mensagem:

— Toque-me.

Yoel estranhou aquilo.

— Vamos ver o que é isso.

Yoel pôs o disco no reprodutor conectado à televisão.

A tela ficou vermelha como sangue e uma música de suspense foi tocada. Uma voz masculina disse:

— Você acha que conhece a verdadeira história do nosso país? Você acredita que o que está nos livros de história é a verdade? Você acha que a religião cristã atual é a verdadeira religião? Se você tiver dúvida em pelo menos uma dessas questões, continue assistindo. No entanto, se você tem certeza de tudo, pare agora.

Yoel pensou:

— Tenho dúvidas em todos os assuntos. Vou continuar assistindo.

Uma bandeira do Brasil foi mostrada.

— A grande nação brasileira sempre foi reconhecida internacionalmente. Até o século XXI, o país era considerado um símbolo de liberdade e paz. Não havia guerras ou conflitos internos. E o clima era maravilhoso.

Foram mostrados vídeos do século XXI, com pessoas andando pelas ruas com roupas comuns e praias com muita gente. E todos pareciam felizes.

— Mas, de repente, algo mudou.

Foi mostrado um vídeo de uma grande multidão na rua, como em uma manifestação. No meio da multidão estava um caminhão com alto-falantes e em cima dele, um homem branco de meia-idade gritava:

— A família está sendo atacada diariamente pela libertinagem de nossa sociedade. Tudo é permitido e ninguém se preocupa com as regras e com os valores cristãos. Devemos lutar contra isso!

A multidão ovacionou o discurso. O vídeo do discurso continuou, e a voz masculina continuou a narrativa:

— Foi o início de uma grande onda conservadora no Brasil. Apoiados no discurso dos valores cristãos e familiares, muitas figuras surgiram, arrastando multidões com seus discursos. Aquelas figuras despertaram tudo o que estava adormecido nas pessoas: preconceito, intolerância, opressão das minorias, sentimento supremacista. Junte tudo isso e o que você tem?

Yoel pensou:

— Uma sociedade em conflito com tudo que não segue o padrão que eles acreditam ser correto.

Foram mostradas fotos de homens brancos vestindo ternos.

— Tudo isso resultou em muitos políticos e autoridades a serviço desses interesses. Ano após ano, mais pessoas com esse pensamento chegaram ao poder. E o poder foi usado para a opressão. As pessoas perderam seus direitos e garantias legais. O Estado e a Igreja cresciam cada vez mais.

Um vídeo mostrou grandes igrejas e homens pregando para multidões.

— E você que está assistindo deve pensar: "se a igreja cresceu, o país ficou melhor." Mas você está errado. Naquela época, apenas a igreja crescia, não havia crescimento na adoração a Deus. Em vez disso, as pessoas se esqueceram de Deus e da bíblia e começaram a acreditar apenas nas palavras dos líderes. Acho que isso soa familiar.

Yoel pensou:

— Parece a mesma coisa que vivemos hoje.

— Mesmo com tantas mudanças, houve pessoas que lutaram para que tudo fosse diferente. Mas eles eram poucos.

A tela ficou preta e foram mostrados protestos e confrontos com a polícia.

— O governo já estava sob o controle do movimento conservador e a polícia tinha uma missão: destruir os opositores do regime. A cada protesto, havia um massacre.

Imagens de ataques e execuções foram mostradas. Isso chocou Yoel, ele ficou triste e disse:

— Meu Deus! Naquela época, já não havia misericórdia ou compaixão.

— Depois de algum tempo, os opositores perceberam que não podiam protestar, pois o risco era muito grande. Eles iniciaram reuniões secretas, planejando o que poderiam fazer contra a opressão. No entanto, o governo investigava as pessoas e descobria as reuniões. Acho que você sabe o que eles faziam.

Foram mostrados muitos cadáveres, incluindo homens, mulheres e crianças.

— A opressão e a repressão violenta cresceram e mais leis foram aprovadas. Todas elas para controlar as pessoas. Uma das mais marcantes foi a proibição de telefones inteligentes ou smartphones, como este.

A imagem de um smartphone do século XXI foi mostrada.

— Esses telefones podiam fazer tudo o que você faz no seu computador e eram portáteis. Você podia carregá-los no bolso.

— Isso seria muito prático se existisse hoje. — Yoel pensou.

— No entanto, estes telefones eram um grande problema para o governo, pois havia muitas maneiras de contornar as restrições de acesso aos websites proibidos. Além disso, havia maneiras de usá-los anonimamente, sem registrar o proprietário e sua localização. Percebendo o risco de uma ferramenta tão poderosa, o governo os baniu, destruiu as antenas e toda a rede de comunicação móvel do Brasil.

Vídeos da destruição foram mostrados.

— Para garantir que ninguém usasse esses telefones, o governo implementou o monitoramento das frequências de rádio usadas pelos dispositivos e também um sistema de detecção quando um deles acessava a Internet. Resumindo, o governo criou ferramentas para controlar toda a comunicação.

Yoel ficou muito surpreso com tudo o que viu e ouviu.

— Tudo o que você viu é apenas uma pequena parte de

tudo o que aconteceu no Brasil. Sei que tudo é muito caótico e desanimador. No entanto, sempre há esperança. Deus disse em Jeremias capítulo vinte e nove, do versículo onze ao treze: "Porque sou eu que conheço os planos que tenho para vocês', diz o Senhor, 'planos de fazê-los prosperar e não de lhes causar dano, planos de dar-lhes esperança e um futuro. Então vocês clamarão a mim, virão orar a mim, e eu os ouvirei. Vocês me procurarão e me acharão quando me procurarem de todo o coração."

Um belo nascer do sol foi mostrado.

— Mesmo com tanta maldade e repressão, Deus separou um povo para continuar pregando a verdadeira mensagem. Sempre houve pessoas comprometidas com Deus e sua verdade. Se você está assistindo a esse vídeo, significa que alguém acreditou que você estava pronto para saber a verdade. Não se preocupe com o futuro, porque tudo ficará bem. Em breve você saberá mais.

O vídeo acabou e Yoel pensou:

— Quem pensou que eu estava pronto para ver isso?

Ele se lembrou das últimas palavras do vídeo e disse:

— A Rute sempre diz que tudo ficará bem. Será ela? Não acredito. Ela parece tão fiel à igreja que frequenta. Acho que vou ter que esperar.

Os dias passavam e Yoel estava ansioso para receber mais informações sobre o que tinha visto. No trabalho, ele se aproximou de Rute, esperando que ela lhe dissesse algo, mas ela não falou nada relacionado ao vídeo.

Três semanas depois

Uma tarde, Yoel caminhava até seu carro no estacionamento de um supermercado. Ele viu um panfleto no para-brisa. Yoel o pegou e olhou, era vermelho como o envelope que havia recebido. Ele leu:

— Conheça o novo parque da cidade! Parque da Verdade. Rua 8, número 32, bairro Velha Jerusalém. Vá, se você quer saber tudo!

No rodapé havia um texto destacado:

— E conhecerão a verdade, e a verdade os libertará. João 8:32

Yoel pensou:

— Acho que é a continuação do vídeo. Vou lá agora.

Yoel foi ao endereço que constava no panfleto. Era um antigo bairro industrial, com grandes prédios antigos e abandonados. Parecia que muitos iriam desmoronar a qualquer momento.

Yoel olhou para aquele cenário e disse:

— Parece que ninguém vem aqui há muito tempo.

Ele encontrou o lugar. Um prédio com vários andares e no telhado havia uma placa publicitária enferrujada com o texto:

— Papéis Tureol. Sua marca de confiança.

Yoel pensou:

— Verdade, confiança. Deve ser aqui.

Ele entrou por uma porta enferrujada, ele não conseguia ver nada lá dentro. Tudo era escuridão total.

— Tem alguém aí? — perguntou ele.

Uma luz se acendeu do lado direito de Yoel. Foi iluminada apenas uma pequena parte da parede. Ele foi até a luz e havia um cartaz na parede com o texto:

— No entanto, está chegando a hora, e de fato já chegou, em que os verdadeiros adoradores adorarão o Pai em espírito e em verdade. São estes os adoradores que o Pai procura. João 4:23

Yoel pensou:

— Mais um texto sobre a verdade. Isso é um padrão.

Outra luz se acendeu na parede oposta. Yoel foi até a luz e havia outro texto:

— Respondeu Jesus: Eu sou o caminho, a verdade e a vida. Ninguém vem ao Pai, a não ser por mim. João 14:6

Outra luz se acendeu na primeira parede e Yoel voltou para lá. Ele leu o texto:

— Portanto, a ira de Deus é revelada dos céus contra toda impiedade e injustiça dos homens que suprimem a verdade pela injustiça. Romanos 1:18

— Acho que há muitas pessoas suprimindo a verdade em

— Por quê?

Yoel suspirou.

— Não acho que as igrejas ou os líderes digam a verdade. Pode parecer estranho, mas é como se algo dentro de mim tivesse despertado e agora tenho que ir até o fim. Tenho que descobrir o que é verdade sobre a religião e sobre Deus.

— Resposta interessante. A verdade será revelada a você. No entanto, devo te dizer algo muito importante. Depois de descobrir a verdade, você não poderá voltar atrás. Conhecer a verdade será como aprender a ler, uma vez que você saiba, nunca mais esquecerá o que verá. Tem certeza que quer saber a verdade?

Yoel pensou um pouco.

— Sim — disse com firmeza. — Tenho certeza.

— Vamos à verdade!

Uma luz muito forte iluminou todo o ambiente, era tão forte que Yoel teve que fechar os olhos...

2 Samuel

Samuel e Rebeca correram por aquela floresta. Samuel chorava. Ele se lembrou de todos os momentos que teve com Marta e tinha o mesmo sentimento do dia da morte de seus pais. Ele havia perdido uma pessoa querida, estava fugindo para salvar sua vida e não sabia o que iria acontecer com ele.

Em certo ponto, ele parou e se virou na direção oposta. Samuel estava ofegante. Ele se curvou, colocando as mãos nos joelhos.

Rebeca percebeu o que ele havia feito e parou.

— Samuel? — perguntou preocupada.

— Desculpe — disse desanimado. — Mas não posso continuar.

— Por que não? Está machucado?

— Fisicamente não. Mas meu coração está. Esta é a segunda vez que perco uma pessoa importante.

— Também sinto a perda. Mas temos que fugir para sobreviver.

— Sobreviver para quê? Sobreviver e esperar outro ataque? Sobreviver para ver alguém morrer? Sobreviver para esperar minha morte a qualquer momento?

— Samuel, você não pode pensar assim.

— Por que eu deveria pensar de outra maneira? Sempre acontece a mesma coisa. Talvez seja melhor eu voltar para os soldados e eles me matarem. Então, estarei livre desta vida sofrida. Talvez eu encontre meus pais e Marta novamente.

Rebeca se aproximou dele, colocou a mão direita em seu ombro e disse confiante:

— Samuel, não entendemos agora, mas Deus tem um plano para tudo. Nosso trabalho não é em vão. Há muitos frutos. Você já viu quantas pessoas conheceram a verdade da palavra de Deus?

— Rebeca — respondeu desanimado. — Reconheço isso, mas é difícil continuar depois de tantas derrotas. Você me entende?

— Te entendo melhor do que você imagina. Também sou uma vítima, fiquei órfã graças ao Exército Eclesiástico. E já vi muitas pessoas queridas morrerem.

Samuel ficou surpreso:

— Meu Deus! Por que você continuou? Como você conseguiu ter forças?

— Deus me fortaleceu. Ele me mostrou a importância do meu trabalho. Mesmo sendo apenas uma pessoa, Deus me mostrou as grandes coisas que posso fazer.

— O que pode fazer?

— Posso levar as pessoas à salvação. Posso ajudá-las a encontrar Deus verdadeiramente. Eu os ajudo a obter liberdade. E cada pessoa que ajudo vai ajudar outras pessoas. Desta forma, mais e mais pessoas conhecerão a verdade e se libertarão das mentiras. É um trabalho árduo, mas quem nos prepara e fortalece é Deus. Talvez não vejamos o resultado do nosso trabalho, mas em Deus, todo trabalho tem um propósito.

Samuel suspirou.

— Preciso desse tipo de fé.

— Peça a Deus e ele te dará.

— Tem certeza?

— Sim. Deus dá forças àqueles que pedem.

Samuel recebeu uma dose de encorajamento. Ele se ergueu.

— Vamos? — disse confiante.

Rebeca sorriu.

— É assim que se fala!

Eles continuaram correndo até o limite daquela floresta. Terminava em outro muro, como o primeiro que pularam.

— Vou ver o que tem do outro lado — disse Samuel.

Samuel correu e subiu no muro. Ele viu que havia algumas casas próximas. Era um bairro comum de classe média. Ele desceu.

— Estamos em outro bairro.

— Vamos pular para o outro lado e tentar conseguir um telefone para pedir ajuda.

Eles escalaram o muro e pularam em um quintal.

— Espere aqui por um momento — disse Rebeca.

Ela olhou ao redor e também na casa, e parecia não haver ninguém. Rebeca voltou para Samuel.

— Vamos entrar nesta casa e usar o telefone — disse ela.

Eles entraram e encontraram um telefone fixo. Rebeca discou um número.

— Quero uma pizza neste endereço.

Ela desligou.

— Você realmente pediu ajuda? — Samuel estava confuso.

— Sim, pedi.

— Mas você disse que queria uma pizza.

Rebeca sorriu.

— Esta é sua primeira lição para se tornar um combatente.

Nunca diga literalmente o que você precisa. Nenhuma comunicação é segura. Tudo pode estar grampeado.

— Tudo bem. Como nossa ajuda saberá onde estamos? Você não disse o endereço. E você nem sabe o endereço.

— Samuel, tem muita coisa para te ensinar. Em breve, você saberá tudo.

Após cerca de trinta minutos, um carro comum preto parou em frente à casa. O carro tinha desenhos de pizzas.

Rebeca viu o carro por uma janela.

— Acho que nosso transporte chegou — disse ela. — Vou verificar se está tudo certo. Aguarde meu sinal.

Rebeca foi até o carro, e Samuel ficou olhando pela janela. O motorista era um jovem negro de pele morena clara, longos cabelos escuros, barba cheia e olhos castanhos. Ele usava um uniforme laranja com uma pizza desenhada na camisa.

— Senhora — disse ele. — Qual pizza você pediu?

— Pedi uma pizza com peixe e azeite.

— Sinto muito, mas vim entregar uma pizza de frango.

— Sem problemas. Vou aceitar.

Rebeca fez um sinal para Samuel ir até o carro. Ele foi, e eles entraram.

Rebeca estava no banco da frente.

— Por favor, me atualize — disse ela.

— Sim, senhora — disse o homem em tom sério. — Hoje, o Exército Eclesiástico atacou três bairros. A maioria das pessoas conseguiu fugir e, até agora, temos notícias de cinquenta mortes.

Samuel pensou:

— Cinquenta mortes. Meu Deus! E ele disse isso com tanta tranquilidade.

— E nossos esconderijos? — perguntou Rebeca.

— Todos estão seguros. Não houve tentativa de ataque.

— Isso é ótimo!

— Senhora, quem é ele?

— Ele é o Samuel. Eu o resgatei há alguns anos. E hoje, o resgatei novamente.

— Para onde a senhora quer levá-lo?

— Ele vai para o nosso centro de treinamento. É hora de treiná-lo.

— Senhora, ele não é muito jovem para isso?

— Ele é jovem, mas já viu coisas terríveis. E ele quer fazer a diferença.

— Sim, senhora. Vamos para o nosso esconderijo.

O homem dirigiu por cerca de duas horas em uma rodovia. Em seguida, o carro entrou em uma estrada de terra. Após cerca de trinta minutos, eles chegaram a uma fazenda. Havia uma plantação de eucalipto ao redor de uma cerca de arame. Os eucaliptos eram altos e grossos. Parecia uma parede de madeira.

Havia uma guarita com cancela na entrada principal da fazenda. O vigilante responsável, um homem branco de meia-idade vestindo roupas marrons militares, disse ao motorista:

— Quem pediu a pizza?

— Soldado — disse ela. — General Rebeca se apresentando para deixar um recruta em treinamento.

— Sim, senhora! — respondeu o solado.

Samuel ficou surpreso com a autoridade de Rebeca.

— Tia Rebeca, não sabia que você era tão respeitada e tinha tanta autoridade.

— Samuel — disse séria. — Você conheceu a tia Rebeca, uma mulher encantadora que o resgatou. Mas a partir de agora você vai conhecer a general Rebeca, uma mulher durona capaz de lidar com coisas que você nem imagina. — Ela sorriu e disse em tom divertido: — Mas pode continuar me chamando de tia Rebeca quando não estivermos em uma missão ou em treinamento.

— Sim, senhora — respondeu com seriedade.

O carro entrou na fazenda. Todo o terreno era uma plantação de eucalipto. Havia apenas uma velha e pequena casa de madeira no meio da plantação.

O carro parou perto da porta da frente da casa e eles saíram. O homem de uniforme era alto e tinha peso médio.

Ele passou as mãos na cabeça e tirou o cabelo e a barba. Ele tinha cabelo preto curto e não tinha barba.

Samuel olhou em volta tentando ver algo que indicasse que o local era um centro de treinamento. No entanto, havia apenas eucaliptos. Ele disse:

— Tem certeza de que este é um centro de treinamento? — perguntou Samuel.

— Todo mundo pergunta a mesma coisa — respondeu Rebeca. — Vamos descobrir se estamos no lugar certo.

Eles entraram na casa. Tudo era velho e estava empoeirado. Eles foram à cozinha e pararam em frente a uma geladeira com cerca de dois metros de altura. O homem abriu a porta, girou o termostato e fechou-a novamente. A geladeira emitiu um bipe. Ele abriu a porta novamente e entrou. Rebeca também entrou e disse:

— Entre!

Aquilo foi estranho para Samuel, mas ele entrou. O homem fechou a porta e a geladeira começou a descer como um elevador.

Depois da descida, a porta foi aberta e Samuel ficou impressionado com o que estava vendo. Havia algumas pessoas e telas com vídeo de vários lugares. Havia mapas em outras telas. Aquele lugar era como um centro operacional militar. E tudo ali era de alta tecnologia.

— Que tipo de lugar é esse? — perguntou Samuel.

— Este é um centro de controle avançado — disse Rebeca.

— É uma ferramenta importante para prevenir ataques e ajudar as pessoas. Está vendo os mapas? Assim que liguei, nossa posição foi rastreada. Por isso souberam onde estávamos.

— Uau!

Uma jovem negra com pele morena escura, vestida com roupa militar marrom, aproximou-se deles e:

— General Rebeca — disse séria. — Tenente Sara ao seu dispor.

Sara ficou com as mãos para trás.

— Obrigada — respondeu Rebeca. — Tenente, descansar.

Sara ficou em posição normal. Ela tinha estatura e peso médios, cabelo preto, volumoso e encaracolado até os ombros, e olhos castanhos escuros.

— Este é meu... sobrinho — Rebeca disse a última palavra em um tom de dúvida. Ela voltou ao tom normal: — Eu o resgatei duas vezes e ele quer começar a treinar.

— Sim, senhora.

— Não pegue leve com ele. Ele está motivado para fazer o seu melhor.

— Sim, senhora. Samuel, bem-vindo à nossa equipe.

— Muito obrigado, Sara.

— Samuel — disse Sara com firmeza. — Não diga meu nome, diga tenente.

— Muito obrigado — disse ele. — Tenente.

— Soldado Marcos — disse Sara. — Por favor, tire o disfarce e mostre tudo para o recruta Samuel.

— Sim, senhora.

— Vamos para o dormitório — Marcos disse a Samuel.

Eles caminharam por um corredor com muitas portas, e dentro de cada sala havia pessoas usando computadores. O corredor era comprido.

— Qual é o tamanho deste lugar? — perguntou Samuel.

— Praticamente todo o espaço da fazenda que vimos lá em cima.

— Suponho que tudo está aqui embaixo para evitar um ataque, não é?

— Exatamente! E isso não é tudo sobre este lugar. Desde o momento em que saímos da rodovia, eles estavam nos observando. As pessoas na sala perto do elevador monitoram tudo. Só chegamos aqui porque eles permitiram, se fosse um veículo suspeito, eles enviariam alguém para verificar. Além disso, os eucaliptos não são apenas árvores. Eles possuem câmeras e sensores em vários pontos, assim, podemos saber de tudo que está acontecendo ao nosso redor. E alguns deles têm metralhadoras para evitar um ataque aéreo.

— Isso parece um filme. — Samuel estava impressionado.

Marcos suspirou e disse desanimado:

— A tecnologia é como um filme, mas o conflito e as mortes são reais. As coisas estão ficando difíceis ultimamente.

— O que está acontecendo?

— O Exército Eclesiástico está encontrando cada bairro com verdadeiros adoradores de Deus. Não sei por quanto tempo conseguiremos resistir.

— E há algum ataque contra o Exército Eclesiástico?

— Este é um sonho distante; é quase impossível alcançá-lo.

— Por quê?

— Se reunirmos todos os que estão preparados para o combate, não teremos nem um por cento do Exército Eclesiástico.

— Imaginei isso. Mas temos uma coisa que eles não têm: temos Deus do nosso lado. Estamos do lado certo dessa guerra.

— Infelizmente, aprendi isso da pior maneira. — Samuel disse em tom triste.

— O que aconteceu? Pode me dizer?

— Minha tia morreu hoje. Estávamos tentando fugir do Exército Eclesiástico.

— Sinto muito pela sua perda.

— Obrigado. Durante a nossa fuga, conversei com minha tia Rebeca, quer dizer, general Rebeca, sobre atacá-los antecipadamente. Ela disse que há poucas pessoas preparadas. E você confirmou isso.

— A general também deve ter dito que algumas pessoas estão mudando de ideia e estão interessadas em treinamento de combate.

— Sim, ela disse. Talvez um dia tenhamos pessoas suficientes para atacá-los e surpreendê-los.

— Espero que sim. Chegamos ao dormitório.

Era um dormitório coletivo com muitos beliches.

Nos dias seguintes, Samuel começou o treinamento e foi muito difícil. Havia atividades físicas exaustivas. Além disso, havia aulas relacionadas à tecnologia, armas, bíblia e tudo mais.

Samuel estava sendo treinado para ser um combatente

habilidoso com diversos conhecimentos.

Depois de alguns meses de rotina rígida, Rebeca foi ao treino para ver como ele estava. Os recrutas treinavam em uma grande sala com equipamentos militares. Ela e Sara observavam à distância.

— Tenente — disse Rebeca. — Como está o Samuel?

— General, ele está trabalhando duro e tentando se superar. Em minha opinião, ele é muito promissor.

— Você acha que ele já está pronto para o primeiro teste?

— Acho que ele precisa de mais treinamento para aperfeiçoar suas habilidades. Quando ele estiver pronto, falarei com a senhora.

— Obrigada, tenente.

Depois de alguns meses, Samuel e os recrutas estavam em uma sala de aula esperando por Sara. Ela entrou e todos se levantaram com as mãos para trás.

— Podem descansar — disse ela.

Eles se sentaram.

— Temos uma missão especial para todos — Sara continuou. — Vocês irão para a cidade e se infiltrarão entre as pessoas. Sua missão é coletar informações sobre os lugares onde estão, sobre as pessoas com quem conversam e tudo o que possam descobrir. Vocês estão prontos?

— Sim, senhora! — responderam gritando.

— Todos vocês terão um disfarce. Os homens usarão cabelos compridos e barba. As mulheres terão cabelos longos. E todos usarão túnicas. Preparem-se e o transporte levará vocês em uma hora.

Todos foram para os dormitórios e colocaram o disfarce. Na hora marcada, eles entraram em uma van. Era um dia ensolarado e quente.

Eles foram levados à cidade e, um a um, saíram da van. Samuel ficou por último. A motorista, uma mulher branca de meia-idade, disse a ele:

— Chegamos ao seu alvo.

Ele saiu da van e olhou em volta; estava em uma praça. Ele ia dizer alguma coisa para a motorista, mas a van já tinha ido embora. Samuel começou a andar pela praça, procurando alguém com quem pudesse conversar. Ele viu um grupo de adolescentes e achou que ali seria um bom começo.

Antes de chegar ao grupo, dois jovens brancos com uniforme de policial se aproximaram dele.

— Ei, garoto — disse um deles. — Você está sozinho?

— Estou aqui com alguns amigos.

— Onde eles estão?

— Eles estão do outro lado da praça. Por quê?

O policial pegou-o pelo braço.

— Vamos sair daqui! — disse com raiva. — Infiel.

Samuel se assustou. Ele sabia que essas palavras significavam que eram do Exército Eclesiástico. Ele tentou manter a calma.

— Isto é um engano — disse Samuel. — Eu não sou um deles.

— Sabemos quem você é — disse o outro policial mais irritado. — Não tente nos enganar. Vai ser pior para você.

— Mas eu...

— Cale-se! — disse o policial que o agarrou. — Vamos para um lugar mais reservado.

— Não sou infiel! — disse Samuel desesperado. — Por favor, não faça isso!

— Tentamos ser gentis — disse o policial. — Mas você não colaborou.

O policial usou uma arma de choque e Samuel desmaiou. Eles o puseram no carro da polícia e o levaram.

Depois de algum tempo, Samuel acordou um pouco

atordoado. Tentou mexer os braços e as pernas, mas estavam amarrados a uma cadeira. Olhou em volta e percebeu estar em uma sala mal iluminada. Ele podia ver o que pareciam móveis espalhados pela sala e havia marcas de sangue no chão.

Um soldado do Exército Eclesiástico entrou na sala. Ele estava mascarado e disse em tom sério:

— Garoto — disse em tom sério. — Posso fazer isso de duas maneiras, a fácil e a difícil. O que você prefere?

— Prefiro que você me solte e lute comigo — respondeu Samuel um pouco irritado.

O homem se aproximou dele e empurrou sua cabeça.

— Você é apenas uma criança e não tem nenhuma chance.

— Me solte e tente a sorte.

O homem socou o rosto de Samuel.

— Acho que vamos fazer isso da maneira mais difícil. Quem é você? O que você estava fazendo na praça?

— Estava com meus amigos. Sou apenas um adolescente.

O homem socou o outro lado do rosto de Samuel. Ele sentiu o sangue na boca.

— Resposta errada — disse ironicamente. — Vamos tentar de novo. Quem é você? O que você estava fazendo?

— Não tenho nada a dizer.

— Tem certeza?

— Sim, tenho certeza — disse Samuel com confiança.

O homem pegou um taco de beisebol de madeira.

— Vamos testar sua certeza — disse ele.

Ele atingiu o abdômen de Samuel. Ele se curvou de dor e gritou:

— Ai!

— Onde eles estão reunidos? Onde fica o quartel-general?

— Não sei nada disso — respondeu com dificuldade. — Não conheço nenhum quartel-general.

— Outra resposta errada.

O homem golpeou Samuel novamente com o taco.

— Assim que você me disser o que quero saber, você vai voltar para eles e dizer que o Exército Eclesiástico sabe de tudo.

— Não sei quem são — respondeu Samuel praticamente sem voz. — Já disse.

O homem sorriu.

— Tudo bem. Vamos continuar nosso jogo.

O homem bateu em Samuel mais vezes. Ele também o socou e usou a arma de choque. Samuel estava se nosso mundo.

Um caminho se iluminou no chão e Yoel o seguiu. O caminho o levou a uma mesa com uma tela. Yoel parou em frente à mesa e começou um vídeo. A tela ficou vermelha como no primeiro vídeo e a voz masculina disse:

— Você alcançou o segundo passo na busca pela verdade. Por favor, diga o que você acha até agora.

— Tenho que responder para uma tela? — Yoel estava surpreso.

— Sim. Posso te ouvir.

Yoel pensou:

— Isso está ficando cada vez mais estranho.

— Sei que pode parecer estranho, mas responda à pergunta, por favor.

— Tudo bem. Até agora tudo é muito estranho e até muito fantástico. No entanto, faz sentido. Você mostrou muitas coisas escondidas na história do Brasil e também alguns textos da bíblia que eu nunca tinha ouvido ou lido. Parece outra visão da religião, uma visão real e não a encenação que vejo nas igrejas.

— Você quer saber mais?

— Claro!

contorcendo devido à dor. Seu rosto estava inchado e sangrando. O sangue escorria de seu rosto e descia até o peito.

Apesar de seus ferimentos e dores, Samuel não disse nada sobre seu grupo. O homem estava impaciente.

— É sua última chance — disse com raiva. — Onde eles estão?

— Não sei — respondeu Samuel com dificuldade.

O homem sacou uma pistola.

— Você vai para o inferno agora.

— Espere um minuto.

— Você vai dizer o que quero ouvir?

Samuel reuniu todas as suas forças e gritou:

— Vou para o paraíso, você vai para o inferno!

O homem colocou a arma na cabeça de Samuel. Ele pensou em tudo em sua vida, desde quando era criança até aquele momento. O homem atirou e nada aconteceu.

A sala foi iluminada e entraram pessoas da equipe de Samuel. Uma equipe médica foi até ele e começou a tratar seus ferimentos. Sara ficou na frente de Samuel.

— Parabéns, Samuel — disse ela. — Agora, você está pronto para a próxima etapa de seu treinamento.

— Ele quase me matou — disse ele um pouco irritado. — E isso era parte do treinamento?

— Sim, era. Todos os recrutas passaram por este interrogatório. Não se preocupe, Samuel. Sabemos o que estamos fazendo. Você não teve nenhum ferimento crítico. Não há nenhum osso quebrado e temos remédios para curá-lo. Em algumas semanas você estará novinho em folha.

Rebeca se aproximou.

— Samuel — disse ela com firmeza. — Você queria ser um combatente. Esta é a vida de combatente. Você pode ser pego e torturado. E se você disser algo sobre nós, todos que você conhece serão mortos. Se isso for difícil para você, você pode voltar à sua vida normal. Você quer voltar para essa vida?

Samuel esperava que Rebeca mostrasse alguma compaixão por sua situação, no entanto, ela disse duras verdades. Ele refletiu um pouco sobre o que ele havia vivido.

— Não, senhora — respondeu com firmeza. — Serei o melhor combatente que você já viu.

Rebeca sorriu.

— Acredito em suas palavras, soldado — disse séria. —

Não me decepcione.

— Não vou te decepcionar, nem meus pais, nem Marta...
— respondeu com seriedade.

Nove anos depois

Samuel tinha vinte e cinco anos e já havia alcançado o posto de coronel. Todos o tinham em alta consideração. Ao longo dos anos, Samuel se tornou um especialista em estratégias de batalha e tiros à distância. Samuel mantinha o cabelo curto e não tinha barba. Tinha altura e peso médios.

Com o passar dos anos, mais pessoas aceitaram treinar para o combate, e já havia um número expressivo de soldados. Mesmo assim, eles mantiveram a mesma estratégia de antes, apenas se defendendo do Exército Eclesiástico. Não houve ataques. E essa situação incomodava Samuel, pois ele havia dito inúmeras vezes que eles deveriam atacar o Exército Eclesiástico para enfraquecê-los, mas ninguém havia concordado.

Um dia, Samuel procurou o especialista em armas, Tiago, um homem negro com mais ou menos sua idade. Ele trabalhava em uma sala com todo tipo de armamento, aparelhos eletrônicos e computadores. Samuel entrou na sala.

— Tiago, você já consertou minha metralhadora?

Tiago estava sentado trabalhando em uma mesa.

— Sim, coronel, vou buscá-la.

Ele se levantou e foi para outra parte da sala e pegou a metralhadora.

Samuel olhou para a mesa e viu um tipo diferente de bala. Esta bala tinha a ponta como uma seringa. Samuel pegou a bala e observou todos os detalhes.

Tiago voltou com a metralhadora.

— Tome cuidado com essa bala — disse ele.

— O que ela faz?

— Esta bala tem uma dose tranquilizante. Um tiro pode derrubar uma pessoa quase instantaneamente.

— Defina quase instantaneamente. E quanto tempo dura?

— Cerca de dois segundos depois que a vítima foi atingida. O efeito dura cerca de três horas.

— Em que arma essa bala deve ser usada?

Tiago sorriu.

— Esta é a melhor parte, pode ser usada em qualquer arma. Adaptei a ponta para uso em cartuchos vazios. Só preciso preparar o cartucho e conectar a ponta.

Samuel sorriu.

— Você é um gênio! — disse entusiasmado.

— Sei disso, coronel.

— Quantas balas você pode produzir nos próximos dias?

— Coronel, por favor, siga-me.

Eles entraram por uma porta naquela sala, e Tiago acendeu uma luz. Era uma grande sala com muitos tambores de metal com cerca de um metro de altura. Cada um deles estava cheio de cartuchos vazios.

— Posso produzir quantas quiser — disse Tiago.

Samuel sorriu.

— Talvez eu peça muitas dessas balas.

— Tudo bem, coronel.

Samuel saiu da sala e solicitou uma reunião com o alto comando do grupo. A reunião seria alguns dias depois.

Na reunião, Samuel estava de pé no centro da sala e o alto comando estava sentado lado a lado em uma grande mesa. Eram pessoas de meia-idade.

— Senhoras e senhores — disse Samuel. — O Exército Eclesiástico está constantemente nos atacando. E estamos apenas nos defendendo desses ataques. Já falei muitas vezes para mudarmos nossas estratégias, mas em todos os momentos, meus pedidos foram negados. Todos vocês sempre disseram que não podemos matar pessoas à toa, em parte, concordo com vocês. Mas recentemente, encontrei uma maneira de satisfazer a todos. Nosso especialista em armas, Tiago, desenvolveu uma bala especial. Não é letal, mas derrubará nossos inimigos dois segundos depois de serem atingidos.

As pessoas se olharam e pareciam interessadas naquilo.

— Coronel — disse um homem branco. — Qual é o seu plano? O que você quer fazer?

— Meu plano é...

Samuel falou sobre seu plano e todos concordaram em testá-lo.

Dias depois, Samuel e um grupo de soldados estavam no quartel-general se preparando para sair em missão. Todos pegaram equipamentos militares, armas, munições, colete à prova de balas, etc.

Eles foram para uma área deserta, onde havia apenas uma

grande base do Exército Eclesiástico. O local tinha cerca de tela e guaritas com soldados armados.

A equipe de Samuel estava espalhada pela área ao redor da base. Eles estavam deitados no chão com fuzis de precisão com mira telescópica e silenciador. Todos tinham um comunicador de ouvido.

Samuel disse a todos:

— Vamos começar. Estão prontos?

— Prontos! — responderam.

Cada um atirou contra seu alvo, os soldados nas guaritas. Depois que eles caíram, a equipe de Samuel começou a se aproximar da base e atirou em cada um que viu. Eles algemaram todos os soldados do Exército Eclesiástico.

A equipe de Samuel entrou na base e capturou todos ali. Os prisioneiros foram colocados fora da base. E dentro da base, havia veículos, munições, armas e equipamentos militares.

A equipe de Samuel colocou bombas em todos os lugares e saiu da base. Após alguns minutos, as bombas explodiram, e o Exército Eclesiástico sofreu uma perda significativa de recursos.

Samuel relatou ao alto comando tudo o que aconteceu e

eles ficaram satisfeitos com o resultado. Daquele dia em diante, eles executaram mais missões como aquela. E eles nunca tiveram que matar ninguém. Eles apenas destruíam recursos e lugares.

Êxodo

Yoel tentou abrir os olhos e notou que a luz havia diminuído. A mesa estava iluminada. A tela havia sumido e havia apenas um grande e grosso livro verde. Ele olhou para aquilo e disse:

— O que é isso?

Não houve resposta.

— Onde você está? — perguntou.

Yoel balançou a cabeça em sinal negativo e suspirou.

— Achei que algo especial iria acontecer.

Yoel pegou o livro e estava escrito em letras douradas na capa: "Estudos da natureza."

— Isso é sério? — perguntou Yoel.

Yoel abriu o livro e na primeira página estava escrito: "Bem-vindo ao fascinante mundo da natureza. A partir de agora, você entrará em um novo universo. Você verá coisas que nunca viu. Mas antes de começar, existe uma recomendação que deve ser observada com atenção: Não leia o livro em público, leia apenas quando estiver sozinho. O conteúdo do livro pode deixar as pessoas irritadas."

Ele pensou:

— Um livro sobre a natureza que pode deixar as pessoas irritadas. Isso deve ser uma piada.

Yoel virou a página e estava escrito no meio da próxima página: "Aqui começa sua jornada para a verdade."

Ele sorriu.

— Agora isso está ficando interessante.

Yoel ia continuar lendo, mas pensou:

— Estou em um prédio abandonado. E possivelmente estou fazendo algo ilegal. Acho que devo voltar para casa.

Yoel saiu do prédio e entrou no carro. Ele dirigiu para casa e quando chegou lá, foi para seu quarto ler o livro. Ele se sentou na cama e o abriu. O primeiro capítulo era chamado: "Conversando com Deus."

Yoel começou a ler.

— Você aprendeu que ninguém pode orar a Deus, exceto o líder da igreja, porém, isso é uma mentira absurda. Todos podem e devem orar a Deus. Essa restrição à oração foi criada para aumentar o poder dos líderes. Pense comigo. Se o líder é a única pessoa que fala com Deus, as pessoas devem agradá-lo para que ele continue orando por todos. E o que agrada todos os líderes?

Yoel pensou:

— Dinheiro e adoração.

— Suponho que você já tenha lido e ouvido muitas pessoas citando textos da bíblia para justificar a restrição. No entanto, esses textos estão incorretos. Todos foram alterados para apoiar a doutrina dos líderes. A seguir, mostrarei alguns textos bíblicos alterados e suas respectivas versões corretas.

Os textos foram listados em tópicos no livro.

— Tiago 5:17-18. Bíblias do século XXII: "*17 Elias era um homem santo, um líder do povo de Deus. Ele orou fervorosamente para que não chovesse, e não choveu sobre a terra durante três anos e meio. 18 Orou outra vez, e os céus enviaram chuva, e a terra produziu os seus frutos.*" Texto correto: "17 Elias era humano como nós. Ele orou fervorosamente para que não chovesse, e não choveu sobre a terra durante três anos e meio. 18 Orou outra vez, e os céus enviaram chuva, e a terra produziu os seus frutos."

— 1 João 5:14-15. Bíblias do século XXII: "*14 Esta é a confiança que temos quando o líder se aproxima de Deus: se ele recebe o pagamento e ora pelo povo, Deus o ouvirá. 15 E se sabemos que ele ouve todas as orações do líder, sabemos que temos o que ele pediu.*" Texto correto: "14 Esta é a confiança que temos ao nos aproximarmos de Deus: se pedirmos alguma coisa de acordo com a vontade de Deus, ele nos ouvirá. 15 E se sabemos que ele nos ouve em tudo o que pedimos, sabemos que temos o que dele pedimos."

— Salmo 145: 18. Bíblias do século XXII: "*O Senhor está perto do líder que o invoca, do líder que o invoca com sinceridade.*" Texto correto: "O Senhor está perto de todos os que o invocam, de todos os que o invocam com sinceridade."

— Salmo 18:6. Bíblias do século XXII: "*Na minha aflição pedi ao líder e ele clamou ao Senhor; ele gritou por socorro ao meu Deus. Do seu templo ele ouviu a voz do líder; o grito do líder chegou à sua presença, aos seus ouvidos.*" Texto correto: "Na minha aflição clamei ao Senhor; gritei por socorro ao meu Deus. Do seu templo ele ouviu a minha voz; meu grito chegou à sua presença, aos seus ouvidos."

— Mateus 6:6. Bíblias do século XXII: "*Mas quando você precisar orar, vá à igreja, faça uma doação e peça ao líder que ore a seu Pai, que está em secreto. Então seu Pai, que vê o que se faz na igreja, o recompensará.*" Texto correto: "Mas quando você orar, vá para seu quarto, feche a porta e ore a seu Pai, que está em secreto. Então seu Pai, que vê em secreto, o recompensará."

— 1 Pedro 3:12. Bíblias do século XXII: "*Porque os olhos do Senhor estão sobre os líderes e os seus ouvidos estão atentos às suas orações, mas o rosto do Senhor volta-se contra os que oram por si mesmos.*" Texto correto: "Porque os olhos do Senhor estão sobre os justos e os seus ouvidos estão atentos à sua oração, mas o rosto do Senhor volta-se contra os que praticam o mal."

Yoel leu cada texto com atenção e ficou impressionado com a diferença entre o texto correto e o texto das bíblias usadas nas igrejas. Ele pensou:

— Meu Deus! O que é lido nas igrejas não tem nada a ver com o texto original. Agora estou aliviado por ter orado naquele dia.

Ele fechou os olhos e orou:

— Obrigado, Senhor, por ouvir minha oração e me conduzir à verdade.

Ele continuou lendo.

— Estes foram apenas alguns exemplos de textos sobre oração. Existem muitos outros que confirmam este dever de todos os cristãos. A oração é a comunicação das pessoas com Deus. Ninguém tem o direito de bloquear ou atrapalhar essa comunicação. Ore a Deus sempre que quiser, sempre que sentir necessidade de falar com Ele. Deus está sempre atento às orações e súplicas do seu povo.

Yoel continuou lendo aquele capítulo do livro. Depois de quase uma hora de leitura, ele pensou:

— Acho que li o bastante por hoje. Continuarei amanhã.

Ele escondeu o livro em seu quarto, pois temia que seus pais o encontrassem, e se isso acontecesse, ele teria muitos problemas.

No dia seguinte, Yoel foi trabalhar e durante todo o dia pensou no livro. Ele estava ansioso para ler o próximo capítulo.

À noite, Yoel estava em seu quarto. Ele ia começar a ler,

mas antes, fechou os olhos e orou:

— Deus, agradeço a oportunidade de receber este livro. Acabei de começar a ler, mas já sinto que é uma coisa boa. Que o Senhor abra meu entendimento, para que eu possa entender todos os assuntos do livro e entender o que significa ser cristão.

Ele abriu o livro e foi para o capítulo chamado: "Ofertas e dízimos."

Yoel pensou:

— Esse assunto é muito interessante.

— Oferta, dízimo, sacrifícios, primícias, etc. A contribuição das pessoas para a igreja sempre foi um assunto delicado ao longo dos séculos. Sempre houve pessoas que usaram a religião como fonte de renda. E todos que o fazem, sempre dizem e prometem a mesma coisa: "Você deve dar seu dinheiro a Deus para o crescimento da igreja, e Deus abençoará sua vida muitas vezes mais." Essa afirmação não está totalmente errada. As igrejas são instituições e precisam de dinheiro para continuar funcionando. E os fiéis devem fazer essa parte. Porém, essa contribuição não deve ser algo opressivo para a vida do fiel, a pessoa não deve ir à falência porque o líder da igreja a coage a doar tudo o que tem. Na bíblia há instruções sobre a oferta. A seguir, veja os textos alterados e corretos.

— Deuteronômio 16:16-17. Bíblias do século XXII: "*16 Três vezes por ano todos se apresentarão ao Senhor, o seu Deus, na igreja que ele escolher, por ocasião da festa dos pães sem fermento, da festa das semanas e da festa das cabanas. Ninguém deverá apresentar-se ao Senhor de mãos vazias: 17 cada um de vocês trará uma dádiva, tudo o que tenha, se não tem nada, deverá se endividar para conseguir alguma oferta.*" Texto correto: "16 Três vezes por ano todos os seus homens se apresentarão ao Senhor, o seu Deus, no local que ele escolher, por ocasião da festa dos pães sem fermento, da festa das semanas e da festa das cabanas. Nenhum deles deverá apresentar-se ao Senhor de mãos vazias: 17 cada um de vocês trará uma dádiva conforme as bênçãos recebidas do Senhor, o seu Deus."

— Ezequiel 46:5. Bíblias do século XXII: "*A oferta de cereal dada junto com o carneiro será de uma arroba, e a oferta de cereal com os cordeiros será tudo o que tiver, mais um galão de azeite para cada arroba de cereal.*" Texto correto: "A oferta de cereal dada junto com o carneiro será de uma arroba, e a oferta de cereal com os cordeiros será de quanto ele quiser dar, mais um galão de azeite para cada arroba de cereal."

— Explicação: O texto correto é bem claro quando diz que cada um deve trazer as ofertas conforme for abençoado por Deus. Ninguém deve se endividar apenas para agradar os líderes da igreja. Deus não deixou seu povo sob a escravidão.

— Êxodo 35:5 e 21. Bíblias do século XXII: "*5 Separem dentre os seus bens uma oferta para o Senhor. Todos estão obrigados a fazê-lo, cada um trará como oferta ao Senhor ouro, prata e bronze; 21 e todos os que eram obrigados a fazê-lo, trouxeram uma oferta ao Senhor para a obra da Tenda do Encontro, para todos os seus serviços e para as vestes sagradas.*" Texto correto: "5 Separem dentre os seus bens uma oferta para o Senhor. Todo aquele que, de coração, estiver disposto, trará como oferta ao Senhor ouro, prata e bronze; 21 e todos os que estavam dispostos, cujo coração os impeliu a isso, trouxeram uma oferta ao Senhor para a obra da Tenda do Encontro, para todos os seus serviços e para as vestes sagradas."

— Explicação: Você percebe que as pessoas contribuíram conforme a disposição do coração. O povo não fez isso por medo de Deus, do sacerdote, ou do líder, todos eles ofertaram porque Deus tocou seus corações. E hoje, o dízimo e as ofertas são obrigatórios para os trabalhadores.

— A seguir mostrarei outro texto que tenho certeza que você já viu. Esse texto tem uma particularidade: o texto não foi alterado, mas ninguém lê no sentido correto. E isso sempre aconteceu. Todo mundo sempre o usou para instigar o medo nas pessoas.

— Malaquias 3:8-10. "8 Pode um homem roubar de Deus? Contudo vocês estão me roubando. E ainda perguntam: 'Como é que te roubamos?' Nos dízimos e nas ofertas. 9 Vocês estão debaixo de grande maldição porque estão me roubando; a nação toda está me roubando. 10 Tragam o dízimo todo ao depósito do templo, para que haja alimento em minha casa. Ponham-me à prova", diz o Senhor dos Exércitos, "e vejam se não vou abrir as comportas dos céus e derramar sobre vocês tantas bênçãos que nem terão onde guardá-las."

— Explicação: Os versículos 8 e 9 são uma grande repreensão, mas não para o povo, é para os sacerdotes. O início da repreensão está no capítulo 2, versículo 1: "1 E agora esta advertência é para vocês, ó sacerdotes." Todo o texto dos capítulos 2 e 3 é para os sacerdotes do povo de Judá e Israel. Eles eram encarregados da administração das ofertas e dízimos do povo. E, portanto, eles poderiam roubar a Deus, tirando as ofertas do templo de Deus e usando-as para seus próprios interesses. Parece familiar para você?

Yoel pensou:

— É muito familiar. E é muito triste saber que as pessoas distorcem a bíblia dessa forma para seus próprios interesses.

Ele continuou lendo.

— O versículo 10 é a ordem para os dízimos serem depositados no templo. Esse mandamento era muito importante para a manutenção do templo, já que os sacerdotes viviam ali e dependiam do dízimo para sobreviver. A bênção dita no final do versículo não deve ser entendida como uma negociação. Se dou muito a Deus, ele é obrigado a me dar muito. Pense no seguinte: a renda que você recebe já é uma bênção de Deus, então, dar uma parte da bênção e cobrar mais de Deus é tolice. Você já recebeu a bênção da renda. Se você quer mais renda, trabalhe mais. É simples.

— Agora vejamos uma situação que ninguém conhece, a proibição de ofertas para a obra de Deus. Você leu corretamente, na Bíblia, houve um tempo em que foi proibido ofertar, mas o texto atual não mostra isso.

— Êxodo 36:2-7. Bíblias do século XXII: "*2 Então Moisés chamou Bezalel e Aoliabe e todos os homens capazes a quem o Senhor dera habilidade e que estavam dispostos a vir realizar a obra. 3 Receberam de Moisés todas as ofertas que os israelitas tinham trazido para a obra de construção do santuário. E o povo continuava a trazer pouquíssimas ofertas voluntárias. 4 Por isso, todos os artesãos habilidosos estavam ociosos na obra do santuário e interromperam o trabalho 5 e disseram a Moisés: "O povo está trazendo muito menos do que o suficiente para realizar a obra que o Senhor ordenou". 6 Então Moisés ordenou que fosse feita esta proclamação em todo o acampamento: "Que todos trabalhem mais e tragam mais ofertas para o santuário". Assim, o povo se esforçou mais e obtiveram mais ofertas; 7 assim, conseguiram o suficiente para realizar toda a obra.*"

Texto correto: "2 Então Moisés chamou Bezalel e Aoliabe e todos os homens capazes a quem o Senhor dera habilidade e que estavam dispostos a vir realizar a obra. 3 Receberam de Moisés todas as ofertas que os israelitas tinham trazido para a obra de construção do santuário. E o povo continuava a trazer voluntariamente ofertas, manhã após manhã. 4 Por isso, todos os artesãos habilidosos que trabalhavam no santuário interromperam o trabalho 5 e disseram a Moisés: "O povo está trazendo mais do que o suficiente para realizar a obra que o Senhor ordenou". 6 Então Moisés ordenou que fosse feita esta proclamação em todo o acampamento: "Nenhum homem ou mulher deverá fazer mais nada para ser oferecido ao santuário". Assim, o povo foi impedido de trazer mais, 7 pois o que já haviam recebido era mais que suficiente para realizar toda a obra."

— Explicação: O texto correto diz que o povo não deveria levar mais nada, pois já tinham o suficiente. E em nossos dias, as igrejas arrecadam sem limites. Olhando para os templos, temos certeza de que há muito mais dinheiro do que eles precisam e mesmo assim não param a arrecadação.

— Outro ponto muito importante sobre ofertas, dízimos e sacrifícios é que Deus não se agrada de nós apenas com eles. Há muito mais coisas que o cristão deve fazer para agradar a Deus.

— 1 Samuel 15:22. Bíblias do século XXII: "*Samuel, porém, respondeu: Acaso tem o Senhor tanto prazer em holocaustos e em sacrifícios quanto em que se obedeça à sua palavra? O sacrifício é melhor do que a obediência, e a gordura de carneiros é melhor do que a submissão.*" Texto correto: "Samuel, porém, respondeu: Acaso tem o Senhor tanto prazer em holocaustos e em sacrifícios quanto em que se obedeça à sua palavra? A obediência é melhor do que o sacrifício, e a submissão é melhor do que a gordura de carneiros."

— Salmo 40:6. Bíblias do século XXII: "*Sacrifício e oferta pediste, e abriste os meus ouvidos; holocaustos e ofertas pelo pecado exigiste.*" Texto correto: "Sacrifício e oferta não pediste, mas abriste os meus ouvidos; holocaustos e ofertas pelo pecado não exigiste."

— Salmo 51:17. Bíblias do século XXII: "*Os sacrifícios que agradam a Deus são grandes ofertas; uma grande oferta, ó Deus, não desprezarás.*" Texto correto: "Os sacrifícios que agradam a Deus são um espírito quebrantado; um coração quebrantado e contrito, ó Deus, não desprezarás."

— Provérbios 21:3. Bíblias do século XXII: "*Fazer o que é justo e certo não justifica a falta de sacrifícios perante o Senhor.*" Texto correto: "Fazer o que é justo e certo é mais aceitável ao Senhor do que oferecer sacrifícios."

— Oséias 6:6. Bíblias do século XXII: "*Pois desejo

sacrifícios, e não misericórdia; holocaustos em vez de conhecimento e estudo.*" Texto correto: "Pois desejo misericórdia, e não sacrifícios; conhecimento de Deus em vez de holocaustos."

— Amós 5:21-24. Bíblias do século XXII: "*21 Eu me agrado das suas festas religiosas; me agradam as suas assembleias solenes. 22 Tragam holocaustos e ofertas de cereal, isso me agradará. Tragam as melhores ofertas de comunhão, e darei grande atenção a elas. 23 Deem-me suas canções e a música das suas liras. 24 Não quero ouvir sobre a retidão nem sobre a justiça!*" Texto correto: "21 Eu odeio e desprezo as suas festas religiosas; não suporto as suas assembleias solenes. 22 Mesmo que vocês me tragam holocaustos e ofertas de cereal, isso não me agradará. Mesmo que me tragam as melhores ofertas de comunhão, não darei a menor atenção a elas. 23 Afastem de mim o som das suas canções e a música das suas liras. 24 Em vez disso, corra a retidão como um rio, a justiça como um ribeiro perene!"

— Hebreus 13:16. Bíblias do século XXII: "*Não se esqueçam das grandes ofertas, pois de tais sacrifícios Deus se agrada.*" Texto correto: "Não se esqueçam de fazer o bem e de repartir com os outros o que vocês têm, pois de tais sacrifícios Deus se agrada."

— Explicação: Creio que os textos são autoexplicativos. Todos dizem que Deus se agrada da obediência, da justiça, do direito e da ajuda aos necessitados. No entanto, as pessoas preferem pensar que Deus quer mais ofertas. Um grande erro, visto que Deus já é o dono de todas as coisas, não podemos dar a ele nada além de nosso coração, nossa obediência e adoração. Essas são as únicas coisas que realmente dependem totalmente de nós.

Yoel fechou o livro e pensou muito no que havia lido. Era apenas o segundo capítulo e Yoel já havia notado que as igrejas estavam muito distantes de Deus e da bíblia.

No dia seguinte, Yoel leu novamente, dessa vez, o capítulo se chamava: "Fé, salvação e graça."

— Esses três temas são muito importantes no cristianismo. Mas a igreja atual mudou seus significados. Na realidade, pouco se fala sobre essas questões. As igrejas sempre dizem que você deve seguir o livro de regras, dar ofertas, ir aos cultos, usar túnicas, manter o cabelo comprido e assim por diante. Os líderes dizem que seguir as regras é suficiente para ser salvo. Porém, a salvação não depende de nós, a salvação é um presente de Deus, dado por sua graça. Para compreender esse presente maravilhoso, devemos ter fé em Deus, em Jesus Cristo e no Espírito Santo. Vamos aos textos para entender o que cada um significa.

— Sobre a fé. Hebreus 1:1 e 6: "1 Ora, a fé é a certeza daquilo que esperamos e a prova das coisas que não vemos; 6 Sem fé é impossível agradar a Deus, pois quem dele se aproxima precisa crer que ele existe e que recompensa aqueles que o buscam."

— 2 Coríntios 5:7: "Porque vivemos por fé, e não pelo que vemos."

— Gálatas 3:26: "Todos vocês são filhos de Deus mediante a fé em Cristo Jesus."

— Explicação: Os textos detalham que a fé não é algo visível. As pessoas não devem ter fé em um homem pregando a palavra. A fé deve estar no autor da palavra, Deus. As igrejas atuais dizem que você também deve acreditar nas palavras do líder, mas a única fé que agrada a Deus é a fé nele e em sua palavra.

Yoel pensou:

— As pessoas têm fé apenas nas palavras do líder.

Ele continuou lendo:

— Sobre a salvação. Salmo 27:1: "O Senhor é a minha luz e a minha salvação; de quem terei temor? O Senhor é o meu forte refúgio; de quem terei medo?"

— Salmo 37:39: "Do Senhor vem a salvação dos justos; ele é a sua fortaleza na hora da adversidade."

— Salmo 62:5-7: "5 Descanse somente em Deus, ó minha alma; dele vem a minha esperança. 6 Somente ele é a rocha que me salva; ele é a minha torre alta! Não serei abalado! 7 A minha salvação e a minha honra de Deus dependem; ele é a minha rocha firme, o meu refúgio."

— A mensagem está clara nos textos: Deus é a salvação das pessoas. Ele é a salvação dos que nele esperam. E a salvação de Deus não é apenas para a vida na Terra. A salvação de Deus é para a vida eterna. Este será um tempo em que os salvos habitarão com Deus para sempre. Acho que você deve estar se perguntando, como ser salvo? E a resposta é a maior prova do amor de Deus, a salvação é pela graça. Esta é uma bênção gratuita dada por Deus às pessoas. A graça não depende das ações de cada um, é um presente de Deus para o ser humano. Sei que essas palavras parecem inacreditáveis, porque você está acostumado a comprar a benção e o favor de Deus, porém, esses ensinamentos estão muito errados, a benção de Deus nunca teve nada a ver com pagamentos. Vamos aos textos para entender a graça de Deus.

— Romanos 3:21-24. Bíblias do século XXII: "*21 Mas agora se manifestou uma justiça que provém de Deus através das regras, das quais testemunham a Lei e os Profetas, 22 justiça de Deus mediante os pagamentos e a fé em Jesus Cristo para todos os que creem. Não há distinção, 23 pois todos pecaram e estão destituídos da glória de Deus, 24 mas são justificados pelo seu pagamento e ofertas.*" Texto correto: "21 Mas agora se manifestou uma justiça que provém de Deus, independente da Lei, da qual testemunham a Lei e os Profetas, 22 justiça de Deus mediante a fé em Jesus Cristo para todos os que creem. Não há distinção, 23 pois todos pecaram e estão destituídos da glória de Deus, 24 sendo justificados gratuitamente por sua graça, por meio da redenção que há em Cristo Jesus."

— Romanos 5:1-2. Bíblias do século XXII: "*1 Tendo sido, pois, justificados pelo pagamento, temos paz com Deus, por meio de nossas ofertas, 2 Também por meio delas, obtivemos acesso a esta força em que estamos firmes; e nos gloriamos na esperança da glória de Deus.*" Texto correto:

"1 Tendo sido, pois, justificados pela fé, temos paz com Deus, por nosso Senhor Jesus Cristo, 2 por meio de quem obtivemos acesso pela fé a esta graça na qual agora estamos firmes; e nos gloriamos na esperança da glória de Deus."

— Efésios 2:1-5: "1 Vocês estavam mortos em suas transgressões e pecados, 2 nos quais costumavam viver, quando seguiam a presente ordem deste mundo e o príncipe do poder do ar, o espírito que agora está atuando nos que vivem na desobediência. 3 Anteriormente, todos nós também vivíamos entre eles, satisfazendo as vontades da nossa carne, seguindo os seus desejos e pensamentos. Como os outros, éramos por natureza merecedores da ira. 4 Todavia, Deus, que é rico em misericórdia, pelo grande amor com que nos amou, 5 deu-nos vida com Cristo, quando ainda estávamos mortos em transgressões — pela graça vocês são salvos."

— Tito 2:11-14: "11 Porque a graça de Deus se manifestou salvadora a todos os homens. 12 Ela nos ensina a renunciar à impiedade e às paixões mundanas e a viver de maneira sensata, justa e piedosa nesta era presente, 13 enquanto aguardamos a bendita esperança: a gloriosa manifestação de nosso grande Deus e Salvador, Jesus Cristo. 14 Ele se entregou por nós a fim de nos remir de toda a maldade e purificar para si mesmo um povo particularmente seu, dedicado à prática de boas obras."

— Tito 3:3-7: "3 Houve tempo em que nós também éramos insensatos e desobedientes, vivíamos enganados e escravizados por toda espécie de paixões e prazeres. Vivíamos na maldade e na inveja, sendo detestáveis e odiando uns aos outros. 4 Mas quando, da parte de Deus, nosso Salvador, se manifestaram a bondade e o amor pelos homens, 5 não por causa de atos de justiça por nós praticados, mas devido à sua misericórdia, ele nos salvou pelo lavar regenerador e renovador do Espírito Santo, 6 que ele derramou sobre nós generosamente, por meio de Jesus Cristo, nosso Salvador. 7 Ele o fez a fim de que, justificados por sua graça, nos tornemos seus herdeiros, tendo a esperança da vida eterna."

— Todos os textos dizem que a graça é um presente dado por Deus, ninguém pode fazer nada para recebê-la. Deus mostrou seu amor pela humanidade, dando-nos graça e salvação. Deus espera apenas uma coisa daqueles que receberam sua graça, ele espera que as pessoas creiam e confessem Jesus Cristo como seu Senhor e Salvador, e que todos reconheçam o sacrifício na cruz como a única forma de receber o perdão dos pecados. Vamos aos textos para entender.

— Romanos 3:25-26: "25 Deus o ofereceu como sacrifício para propiciação mediante a fé, pelo seu sangue, demonstrando a sua justiça. Em sua tolerância, havia deixado impunes os pecados anteriormente cometidos; 26 mas, no presente, demonstrou a sua justiça, a fim de ser justo e justificador daquele que tem fé em Jesus."

— Hebreus 9:27-28: "27 Da mesma forma, como o homem está destinado a morrer uma só vez e depois disso enfrentar o juízo, 28 assim também Cristo foi oferecido em sacrifício uma única vez, para tirar os pecados de muitos; e aparecerá segunda vez, não para tirar o pecado, mas para trazer salvação aos que o aguardam."

— Romanos 4:24-25: "24 mas também para nós, a quem Deus creditará justiça, a nós, que cremos naquele que ressuscitou dos mortos a Jesus, nosso Senhor. 25 Ele foi entregue à morte por nossos pecados e ressuscitado para nossa justificação."

— Romanos 5:6-11: "6 De fato, no devido tempo, quando ainda éramos fracos, Cristo morreu pelos ímpios. 7

Dificilmente haverá alguém que morra por um justo, embora pelo homem bom talvez alguém tenha coragem de morrer. 8 Mas Deus demonstra seu amor por nós: Cristo morreu em nosso favor quando ainda éramos pecadores. 9 Como agora fomos justificados por seu sangue, muito mais ainda, por meio dele, seremos salvos da ira de Deus! 10 Se quando éramos inimigos de Deus fomos reconciliados com ele mediante a morte de seu Filho, quanto mais agora, tendo sido reconciliados, seremos salvos por sua vida! 11 Não apenas isso, mas também nos gloriamos em Deus, por meio de nosso Senhor Jesus Cristo, mediante quem recebemos agora a reconciliação."

— Efésios 1:3-14: "3 Bendito seja o Deus e Pai de nosso Senhor Jesus Cristo, que nos abençoou com todas as bênçãos espirituais nas regiões celestiais em Cristo. 4 Porque Deus nos escolheu nele antes da criação do mundo, para sermos santos e irrepreensíveis em sua presença. 5 Em amor nos predestinou para sermos adotados como filhos, por mcio de Jesus Cristo, conforme o bom propósito da sua vontade, 6 para o louvor da sua gloriosa graça, a qual nos deu gratuitamente no Amado. 7 Nele temos a redenção por meio de seu sangue, o perdão dos pecados, de acordo com as riquezas da graça de Deus, 8 a qual ele derramou sobre nós com toda a sabedoria e entendimento. 9 E nos revelou o mistério da sua vontade, de acordo com o seu bom propósito que ele estabeleceu em Cristo, 10 isto é, de fazer convergir em Cristo todas as coisas, celestiais ou terrenas, na dispensação da plenitude dos tempos. 11 Nele fomos também escolhidos e, tendo sido predestinados conforme o plano daquele que faz todas as coisas segundo o propósito da sua vontade, 12 a fim de que nós, os que primeiro esperamos em Cristo, sejamos para o louvor da sua glória. 13 Quando vocês ouviram e creram na palavra da verdade, o evangelho que os salvou, vocês foram selados em Cristo com o Espírito Santo da promessa, 14 que é a garantia da nossa herança até a redenção daqueles que pertencem a Deus, para o louvor da sua glória."

— Neste ponto, acredito que você já entendeu o significado do sacrifício de Jesus Cristo e sua conexão com a fé e a salvação. Existem muitos outros textos na bíblia que concordam com o que você leu. Espero que você tenha entendido o que realmente significam fé, salvação e graça. Esses três temas são a base da fé cristã, mas as igrejas os abandonaram e só falam de poder, dinheiro, restrições e outras coisas que concordam com seus interesses. Não acredite no que dizem, acredite na verdadeira Palavra de Deus, acredite em Jesus Cristo e no seu sacrifício, tenha fé nas promessas de salvação de Deus, só assim você poderá alcançar a vida eterna.

Tudo o que Yoel leu o havia impactado de forma impressionante. Ele terminou de ler com lágrimas nos olhos. Yoel sentiu que Deus havia falado com ele através daqueles textos. Ele nunca havia sentido nada assim.

Yoel fechou o livro, ajoelhou-se e orou:

— Deus, muito obrigado pela oportunidade de conhecer a sua palavra. Muito obrigado por tudo que o Senhor está falando comigo. Muito obrigado pela salvação através do sacrifício de Jesus Cristo. Muito obrigado por me escolher para participar da vida eterna. Perdoe-me, Senhor, por todos os meus erros e pecados. Ajude-me a ser um verdadeiro cristão, seguindo a sua palavra. Senhor, dê-me mais fé e força para que eu possa suportar todas as coisas ruins. Obrigado por ouvir minha oração.

Nos dias seguintes, Yoel continuou lendo o livro e aprendendo mais sobre o que significava ser cristão. Yoel saiu da escuridão da religião opressora e foi para a luz da fé genuína em Deus.

Rute

Quinze anos atrás

Rute era adolescente e em uma tarde, estava na sala de sua casa; era uma casa comum em um bairro residencial de classe média. Ela estava sentada em um sofá lendo uma Bíblia com a capa vermelha. Rute vestia roupas casuais, camiseta e calça leve e larga. A garota lia com muita atenção e fazia anotações.

Um garoto negro com pele morena clara e mais jovem que Rute abriu a porta principal da casa e gritou:

— Mãe! Cheguei!

O garoto tinha cabelo castanho volumoso com pequenos cachos, olhos castanhos escuros e usava camiseta e bermuda.

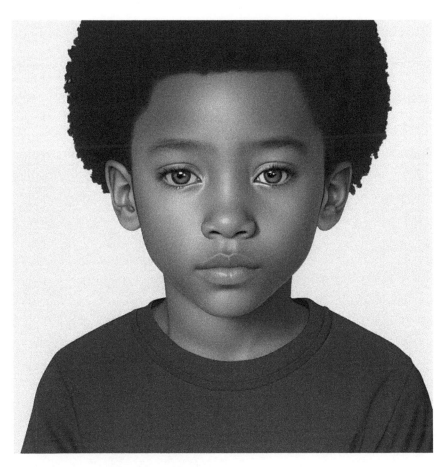

Ele foi até Rute e a abraçou.

— Rute! Sempre lendo.

— E você, Abel, sempre gritando.

Ele sorriu e disse:

— Se um dia você não ouvir meus gritos, vai sentir falta.

Ela também sorriu e disse:

— Claro!

Uma mulher negra de meia-idade com pele morena

escura entrou na sala. Ela usava um vestido casual. Ela ficou olhando a demonstração de carinho dos irmãos. Ela tinha altura e peso médios, olhos castanhos e cabelo preto cacheado até os ombros.

Ela se aproximou e os abraçou

— Meus tesouros de Deus! — disse em tom amável. — Vocês são a minha vida.

Abel disse em tom sério:

— E você, mãe, nos dá a vida. — Ele sorriu e disse: — Se possível, nos dê o jantar.

— Calma, Abel! Espere por seu pai.

— Ele está quase chegando —disse Rute.

— Abel — disse a mãe. — Enquanto esperamos por, tome banho.

Ele suspirou.

— Tudo bem — disse desanimado.

— E não se esqueça de lavar o cabelo.

Rute disse sorrindo:

— Se você não lavar o cabelo direito, eu vou lavá-lo com a mangueira do jardim.

— Não! — disse sério. — Vou deixar meu cabelo brilhando.

— É isso aí! — disse a mãe.

Abel foi tomar banho; a mãe se sentou ao lado de Rute e disse:

— O que você estava lendo?

— Sua história.

— Minha história? — Ela se surpreendeu.

— Sim, a história da rainha Ester ou como está na regra da religião, rainha Hadassah.

Hadassah sorriu.

— Não é a minha história. É a história de uma mulher importante na bíblia. E, através dessa mulher, Deus deu salvação aos judeus.

— É sua história, mãe. Através da sua vida e da vida do meu pai, Deus deu salvação a muitas pessoas.

— Você tem razão. — Ela sorriu. — Mas seu pai e eu não temos o poder do rei Xerxes nem a influência da rainha Ester.

— Mesmo assim, vocês fazem o seu melhor. E, um dia, eu também farei o meu melhor para libertar as pessoas das trevas da religião falsa.

Hadassah sorriu.

— Tenho certeza de que Deus colocará um rei Xerxes no seu caminho. E ele também te ajudará.

— Ainda é muito cedo para falar de um rei para minha princesa. — Uma voz masculina disse de longe.

— Pai! — disse Rute com animação.

Um homem negro de meia-idade com pele morena clara entrou na sala. Ele vestia uma túnica, era alto, peso médio, olhos castanhos escuros, cabelo longo preto com tranças estilo rastafári e barba densa cobrindo todo o rosto.

Hadassah se levantou e foi até ele, o abraçou e beijou.

— Meu rei chegou — disse em tom romântico.

Ele a beijou intensamente. Rute sorriu e disse como se tivesse nojo:

— Parem! Não sou obrigada a ver essas cenas.

O pai sorriu.

— Filha — disse o pai. —É assim que um homem deve cumprimentar sua esposa quando chega à sua casa.

— Tudo bem, pai. — Ela sorriu.

Rute se levantou e o abraçou.

— Yehonatan — disse a esposa. — Como foi o seu dia?

— O mesmo de sempre. Todos na direção da igreja querem ideias para arrecadar mais dinheiro.

— Você sugeriu algo?

— Sim. Eu disse algumas coisas, mas ninguém gostou.

Yehonatan passou as mãos na cabeça e tirou o cabelo longo. Ele tinha cabelo castanho escuro curto. Ele pegou sua barba nas orelhas e também a tirou. Ele tinha barba curta e cheia.

— Graças a Deus! —disse aliviado. — Já posso tirar meu disfarce!

— Pai, você não acha que o que você está fazendo é perigoso?

— Rute — respondeu sério. —É perigoso, mas é algo necessário.

— Por quê?

— Estando lá, eu posso ajudar mais pessoas a saírem das

trevas da religião falsa.

— Como? Você prega para as pessoas lá?

— Pregar não é comum. No entanto, faço outras coisas.

— O quê?

— Rute — disse a mãe, — você se lembra de que nos filmes de espionagem sempre há pessoas infiltradas no território inimigo?

— Sim, mãe.

— Seu pai faz um trabalho parecido.

— Estou naquela igreja para descobrir seus planos e saber como posso combater tudo o que eles dizem e fazem.

— Pai, você é como Mardoqueu na bíblia. Ele soube da conspiração contra o rei Xerxes e disse à rainha Ester. Tudo foi investigado e era verdade. Os conspiradores foram punidos e tudo foi registrado nos livros do rei.

Yehonatan passou a mão na cabeça de Rute e disse sorrindo:

— No meu caso, tento evitar a morte espiritual das pessoas. E tudo está registrado no livro de Deus. Eu gostaria de fazer mais, mas muitas pessoas ainda não concordam com isso.

— Por que não?

— Muitos dizem que é muito perigoso. E quem o faz pode se corromper e abandonar a verdadeira fé.

— E você, pai, o que acha?

— Concordo sobre o perigo. No entanto, não há como me corromper.

— Por que não?

— Minha fé em Deus é verdadeira. Todos os dias Deus envia o Espírito Santo para me proteger de todas as mentiras e enganos. E, ao mesmo tempo, Deus vai criando caminhos para desfazer os planos da igreja.

— Seu pai sempre confunde as ideias das pessoas na igreja. Deus lhe dá inteligência para combater até os melhores planos.

— Agora meu pai está em outra história da bíblia. Agindo como Husai quando aconselhou o rei Absalão e fez fracassar os planos de Aitofel. O Senhor o ajudou, pois não iria deixar o rei Absalão no trono.

— Perfeito! —disse Yehonatan com animação. — Você sabe muito sobre a bíblia.

— Tenho ótimos professores.

Ela os abraçou. Abel chegou e também os abraçou. Ele disse:

— A vida nesta família é maravilhosa, mas é melhor quando estamos com os estômagos cheios.

Todos riram e Hadassah disse:

— Vamos jantar.

Eles foram para a cozinha e jantaram.

Dias depois, em uma manhã de domingo, um carro preto comum parou em frente à casa de Rute. Dois jovens negros saíram do carro, eles vestiam túnicas e tinham barbas e cabelos longos.

Eles entraram no jardim e bateram na porta da frente. Rute abriu a porta e ficou surpresa com os homens. Ela pensou:

— Meu Deus! Meu pai foi descoberto!

Um dos homens sorriu e disse:

— O seu pai está?

Rute ficou muito nervosa e não conseguiu responder. Yehonatan foi à porta e viu os homens. Ele sorriu e disse com animação:

— Meus amigos! Entrem, por favor.

Os homens entraram e Yehonatan fechou a porta. Ele notou o nervosismo de Rute.

— Filha, não fique nervosa. Esses homens são meus

amigos.

— Graças a Deus! — disse ela aliviada.

Yehonatan cumprimentou os homens com um aperto de mãos, dizendo:

— Confesso que também estou surpreso com a visita. Algo aconteceu?

— Ainda não — respondeu o homem, — mas em breve, acontecerá.

— O quê?

Um dos homens olhou para Rute como se quisesse dizer:

— Ela pode ouvir?

— Não se preocupe — disse Yehonatan. —Ela não é uma criança. Ela já entende esses assuntos.

— Tudo bem.

— Antes de começarmos, vamos para outra sala. Vou chamar minha esposa.

Yehonatan os levou para outra sala onde havia uma grande mesa de madeira com várias cadeiras, e foi chamar Hadassah.

Eles chegaram e ela também os cumprimentou:

— Oi! Bem-vindos!

Todos se sentaram. A família estava de um lado da mesa e

os homens do outro lado.

— Yehonatan — disse um dos homens. — Nosso coronel precisa da sua ajuda para executar o próximo plano.

— Já sei. Ele quer invadir algum lugar.

— Exatamente! Ele precisa de informações detalhadas do local.

Yehonatan suspirou.

— Tudo bem — disse desanimado.

— Por quê o desânimo? — perguntou o outro homem.

— Não gosto dessas ações.

— Por quê?

— Sempre que há uma invasão, tudo piora em toda a organização. Eles criam novos procedimentos, novas regras de segurança, e coisas assim.

— Você tem alguma ideia melhor?

— Claro! Vamos deixar tudo como está e atacá-los de outra maneira.

— Como?

— Agendem uma reunião com o coronel e eu explicarei.

— Tudo bem. Você acha que a sua ideia é melhor do que uma invasão?

Yehonatan sorriu e disse:

— Claro!

O outro homem disse:

— Levaremos sua proposta a ele e em breve você receberá a resposta.

— Obrigado.

Os homens se levantaram e a família os acompanhou até a porta da frente. Eles entraram no carro e voltaram para a base onde Samuel estava. Eles se reuniram com ele em uma sala de reuniões e explicaram a situação.

— Quero ouvir o que esse homem tem a dizer — disse Samuel. — Liguem para ele agora e verifiquem se podemos ir à sua casa.

— Tudo bem.

Os homens ligaram para Yehonatan e a reunião foi marcada para algumas horas depois.

Todos estavam na mesma sala de antes.

— Yehonatan — disse Samuel. — Qual é o seu plano?

— Samuel, antes de dizer meu plano, posso te fazer uma pergunta?

Samuel ficou surpreso com a pergunta.

— Sim — respondeu em tom de dúvida.

— O que você sabe sobre os barcos?

— Praticamente nada.

Os homens que acompanhavam Samuel se olharam e fizeram expressões de confusão. Ambos pensavam:

— Ele está louco?

Yehonatan continuou:

— Também não sei quase nada sobre barcos, no entanto, sei uma coisa: os barcos não afundam por causa da água ao redor. Eles afundam quando a água entra neles. E principalmente quando a água entra sem fazer alarde.

Samuel pensou e disse:

— Acho que entendi o que você quer dizer. Você acha que nossos ataques às igrejas e ao Exército Eclesiástico são inúteis?

— Não! — Yehonatan respondeu com firmeza. — Eles não são tão eficazes quanto poderiam ser. Você já imaginou o que poderia fazer se soubesse quando algo importante vai acontecer em uma base do Exército Eclesiástico? Já imaginou como seria se o ataque fosse no dia em que houvesse somente alguns soldados ao invés de muitos?

— Já pensei, no entanto, para isso acontecer, eu precisaria de gente vigiando a base por semanas ou meses.

— Ou então, você poderia ter alguém infiltrado na base.

Alguém que soubesse os detalhes da rotina do lugar. E o melhor. Alguém que possa entender o pensamento das pessoas lá e tentar mudá-lo.

Samuel pensou por um momento e disse:

— Sua ideia parece ótima, mas você não acha que é um pouco fantasiosa ou ousada?

— Tenho certeza de que a minha ideia é ambos. E também tenho certeza de que é a única maneira de mudar a história do nosso grupo e do nosso país. — Yehonatan disse com muita seriedade: — Samuel, tenho muito respeito pelo seu trabalho e de todos os combatentes que atuam da mesma forma. No entanto, não vejo uma luz no fim do túnel para essa guerra. Ano após ano, há conflitos, mortes, perseguições e, no final das contas, tudo continua igual. Se você quiser vencer a guerra, deve mudar a estratégia. Você não pode apenas atacá-los de fora, deve atacá-los de dentro.

Samuel também disse seriamente:

— Compreendo seu ponto de vista e o que você disse faz sentido. No entanto, para fazer alguma mudança de estratégia, preciso de algo mais do que a ideia. Você já obteve algum resultado?

— Sabia que iria perguntar isso. Sim, já obtive muitos

resultados onde estou. Há três anos, comecei a trabalhar na sede da igreja. Quando comecei, pensei que todos lá eram muito dedicados à igreja e seguiam fielmente todas as regras. Depois que me aproximei das pessoas, descobri que era muito diferente. A maioria não era fiel e muitos nem acreditavam no líder. Todos estavam lá pelo trabalho e nada mais. Algumas pessoas que conheci se tornaram verdadeiros adoradores de Deus. E os convertidos continuaram tentando ensinar a verdade para outras pessoas. Além disso, todos tentam interferir nos planos da igreja. Fazemos o nosso melhor e Deus sempre nos ajuda a combater tudo o que prejudique as pessoas. Agora, imagine isso acontecendo em muitos lugares, logo teríamos um grande exército trabalhando nas igrejas e organizações religiosas. E o melhor de tudo, sem que ninguém saiba.

Todos ouviram Yehonatan atentamente. Por um instante, Samuel pensou que aquilo realmente poderia funcionar.

— Yehonatan, gostei muito do que você disse. Seus resultados atuais são muito promissores. No entanto, você sabe que é um plano a longo prazo.

— Sim, eu sei.

— Levarei a ideia aos meus superiores. E talvez, você

precise explicar melhor. Tudo bem?

— Estou à disposição! — respondeu firmemente.

— Muito obrigado!

Todos se cumprimentaram e Samuel voltou para a base. Ele agendou uma reunião com o alto comando para explicar a ideia de Yehonatan.

No dia da reunião, Samuel disse praticamente as mesmas palavras que ouviu. Depois de dizer tudo, uma mulher negra de meia-idade disse:

— Coronel, qual é a sua opinião sincera sobre o plano desse homem?

Ele respondeu em tom sério:

— É um plano muito ousado e provavelmente levará alguns anos para ser concretizado.

— E você ainda deseja a nossa aprovação? — perguntou a mulher. — Por quê?

Samuel suspirou.

— O dono do plano disse algo que ficou ecoando na minha cabeça. Ele disse que não vê uma luz no fim do túnel, e disse que ano após ano é sempre a mesma coisa. Sou a prova disso, não só eu, mas todos aqui. Todos já perderam alguém em conflitos, mas a guerra nunca acaba — disse as últimas palavras com tristeza.

As pessoas do alto comando se olharam. Um homem branco de meia-idade disse:

— Coronel, este homem poderia vir aqui e detalhar o que fez? Queremos saber mais sobre como ele faz e o que conseguiu.

Samuel pensou:

— Graças a Deus! Eles estão interessados no plano. — pensou Samuel. E disse: — Claro! Vou agendar uma reunião com todos.

Dias depois, Yehonatan estava na sala de reunião com Samuel e o alto comando. Ele estava no centro e os demais estavam sentados lado a lado, em uma grande mesa. Um homem negro de meia-idade disse:

— Yehonatan, por favor, fale sobre seu plano.

— Muito obrigado pela oportunidade. O plano é ser um tipo de espião nas organizações inimigas. Não um espião qualquer, um espião que ganhe a confiança de todos. O primeiro passo é obter acesso à organização. Cada espião deve começar a trabalhar onde deseja se infiltrar. Depois, ele deve começar a falar com as pessoas do local. A conversa deve ser muito discreta, sem falar de assuntos polêmicos. O espião deve fingir ser um amigo da pessoa, conhecendo sua rotina, seus pensamentos, o que faz fora do trabalho e, por fim, o principal: saber como a pessoa lida com a igreja. Esse passo é fundamental para o sucesso da operação e possivelmente da conversão. Baseado em minha experiência pessoal, pelo menos metade das pessoas não está satisfeita com as igrejas, líderes e regras. Quando o espião notar essa insatisfação, ele deve começar a falar sobre assuntos como liberdade, a verdade na Bíblia, as más ações das igrejas, etc. Tudo isso é para preparar o terreno para a semente do verdadeiro cristianismo. E, ao mesmo tempo, o espião deve fazer o seu melhor para frustrar os planos da organização, e também obter a maior quantidade possível de informação útil para vocês.

Uma mulher branca de meia-idade disse:

— O que você conseguiu com suas técnicas?

— Como havia dito ao coronel Samuel, já consegui a conversão de muitos dos meus companheiros de trabalho. Juntos, já frustramos alguns planos da organização. E o que eu mais gostei: criamos um projeto que ajuda os verdadeiros cristãos.

Todos se olharam surpreendidos.

— Por favor, explique como foi — disse Samuel.

— Certo. A igreja tem projetos de expansão para regiões da cidade com poucos membros. Esses projetos incluem todo tipo de ajuda às pessoas carentes e a construção de uma casa no bairro para manter uma presença permanente. Meus colegas e eu fizemos o projeto para um bairro com verdadeiros cristãos. Toda a equipe designada para trabalhar no bairro também era de verdadeiros cristãos. Assim, as pessoas recebiam ajuda e tinham uma casa onde se reuniam para os cultos. E tudo estava sendo pago por uma igreja. Sem saber, eles estavam ajudando no crescimento do verdadeiro Evangelho. Que tal? — Ele sorriu.

Todos ficaram muito impressionados com a astúcia do plano de Yehonatan.

— Esta foi apenas uma pequena vitória. — Ele continuou.

— Tenho certeza de que todos vocês podem criar todos os tipos de estratégias e planos. Sei que no começo vai parecer muito difícil e demorado, porém os resultados virão.

Um homem branco de meia-idade disse:

— Discutiremos seu plano e quando tivermos a decisão final falaremos com você.

— Tudo bem.

Yehonatan deixou a base. O alto comando discutiu entre si todos os detalhes envolvidos naquele plano.

Depois de alguns dias, Samuel foi à casa de Yehonatan, assim que abriu a porta, ele viu o sorriso no rosto de Samuel e soube que seu plano seria executado.

Eles foram para a base do grupo para mais uma reunião. Yehonatan estava na sala de reunião explicando como seria o plano.

— O primeiro passo é definir quem serão os espiões. Os melhores para este trabalho são os mais comunicativos. Eles têm melhores chances de sucesso na interação com as pessoas. Aqueles que têm estudos também são muito úteis, pois podem alcançar altos cargos nas organizações. Os espiões receberão treinamento comigo e com minha esposa. Vamos ensinar técnicas para que todos atuem perfeitamente. Aguardo os alunos para o treinamento.

Depois que Yehonatan explicou mais algumas coisas, foi embora da base. Samuel o levou para casa, era noite.

Samuel estendeu a mão para cumprimentá-lo e se despedir, mas Yehonatan disse:

— Vamos conversar mais na minha casa. Tenho certeza que você tem muitas perguntas sobre o plano.

— Não sei, tenho muitas coisas para fazer — disse em tom de dúvida.

Yehonatan sorriu.

— Coronel, você precisa de um momento para descansar — disse em tom sério: — Sei um pouco sobre a sua história e sei que você já passou por coisas terríveis. Você merece sair um pouco da vida de combate. Não acha?

— Acho que você está certo.

— Tenho certeza de que minha esposa preparou um jantar incrível.

— Agora eu gostei! — Sorriu e disse com animação.

Eles entraram na casa de Yehonatan e jantaram. Todos falaram de muitas coisas sobre a fé em Deus e os desafios de ser um verdadeiro cristão naquele tempo. Samuel compartilhou algumas de suas histórias e realizações. Yehonatan e sua família fizeram o mesmo.

Essa foi a primeira vez em muito tempo que Samuel teve um momento de descontração fora da base.

Dias depois

À noite, todos os selecionados para participar da nova missão estavam na sala de aula de uma escola de um bairro comum de classe média. Havia adultos de todas as idades, desde os mais jovens até os mais velhos, todos vestindo túnicas. Samuel também estava na classe.

Yehonatan entrou na sala com Hadassah e Rute, eles também usavam túnicas, e Yehonatan estava com cabelo comprido e barba. Rute se sentou em uma cadeira. Yehonatan e Hadassah ficaram na frente da sala. Ele disse:

— Alguém aqui já trabalhou disfarçado?

Todos se entreolharam e balançaram a cabeça em sinal negativo.

Hadassah continuou:

— O maior desafio do trabalho disfarçado de espião é manter as aparências. Por exemplo, agora, estamos em uma escola de um bairro sem verdadeiros adoradores. Vocês acham que é arriscado?

As pessoas balançaram a cabeça em sinal positivo.

— Isso seria arriscado — disse Yehonatan. — Se estivéssemos em uma reunião secreta que ninguém soubesse. Mas este encontro está registrado como um seminário de incentivo à arrecadação de dízimos e ofertas. — Ele sorriu.

Hadassah sacudiu alguns papéis e disse:

— Aqui está a lista dos integrantes do seminário e

também as redações explicando o que cada um aprendeu.

Yehonatan disse:

— O segredo é ter pessoas que encobrem a verdade enquanto fazemos tudo à vista. Esse seminário teve a aprovação de dois membros de uma igreja. Eles são verdadeiros adoradores, sabem o que estamos fazendo e encobrem nosso trabalho.

Hadassah disse:

— Todos vocês estão aqui para aprender como serem as pessoas que sabem e encobrem tudo. E para chegar a esse ponto, todos devem começar a trabalhar nas organizações que desejam derrotar. Falando na linguagem dos soldados, vocês explodirão as organizações por dentro, farão uma implosão. Quando perceberem, a organização desmoronará e ninguém saberá de onde veio o golpe.

Yehonatan disse:

— Além de encobrir o trabalho dos verdadeiros adoradores, vocês evangelizarão todos que encontrarem nesses lugares. Ao fazer isso, o golpe na organização é ainda mais forte. Pensem comigo, se cada um aqui converte cinco pessoas e essas cinco pessoas convertem outras cinco. É um ciclo sem fim, logo toda a organização estará sob nosso controle; eles trabalharão para nós.

As pessoas gostaram da ideia. Yehonatan e Hadassah seguiram com mais explicações sobre o trabalho de espionagem.

Depois de algumas semanas nas aulas, os primeiros espiões começaram seu trabalho infiltrado. Ocasionalmente, eles se reuniam com Yehonatan e Hadassah para conversar sobre o trabalho e também para aperfeiçoar os aspectos necessários.

Samuel ficou próximo à família de Yehonatan durante esta nova missão. Algumas vezes, ele ia à casa da família, outras vezes iam a algum lugar onde pudessem conversar e se divertir. Gradualmente, Samuel deixou de lado suas tristes lembranças e abriu espaço para um novo capítulo em sua vida.

Cinco anos depois

As missões com os espiões se tornaram uma estratégia importante para os verdadeiros adoradores. Havia pessoas infiltradas em todas as igrejas, na política, nas organizações religiosas, até no Exército Eclesiástico. Nesse grupo, os espiões informavam quais eram os alvos que seriam atacados, e assim, as pessoas escapavam do perigo e da prisão. Além disso, os espiões do Exército Eclesiástico criavam condições para que os presos fossem resgatados.

Havia espiões em todos os níveis de todas as organizações. E o número de convertidos ao verdadeiro Evangelho era cada vez maior.

Rute tinha vinte anos e estava na base onde Samuel atuava. Ela estava em uma mesa usando um computador.

Samuel chegou; ele tinha trinta anos.

— Rute, onde está sua família?

— Não se lembra? Eles estão em outra base treinando mais espiões. Sua tia Rebeca está com eles.

— Verdade! Todos estão muito interessados nessa técnica. E o que você está fazendo aqui?

— Estou contando a história do Brasil.

— Como assim?

— Percebi que falamos para as pessoas sobre o verdadeiro Evangelho, mas não falamos sobre o que aconteceu no Brasil para o país ficar nessa situação. As pessoas acreditam que houve uma Grande Revolução Cristã, mas ninguém sabe o que aconteceu nessa revolução; tudo sobre essa época estava sob o controle do governo. No entanto, um de nossos espiões acessou o banco de dados e enviou muitos materiais úteis. Fiz um vídeo com esses materiais e expliquei o que realmente aconteceu naquela época.

Samuel sorriu.

— Brilhante! — disse com animação.

— E além do vídeo, escrevi este livro.

Rute lhe mostrou um grande e grosso livro verde. Estava escrito em letras douradas na capa: "Estudos da natureza."

Samuel estranhou o tema.

— Estudos da natureza? É sério?

— Você reagiu como esperado. — Ela sorriu. — Abra o livro.

Samuel abriu e leu na primeira página:

— Bem-vindo ao fascinante mundo da natureza. A partir de agora, você entrará em um novo universo. Você verá coisas que nunca viu. Mas antes de começar, existe uma recomendação que deve ser observada com atenção: Não leia o livro em público, leia apenas quando estiver sozinho. O conteúdo do livro pode deixar as pessoas irritadas.

— Por que um livro sobre a natureza pode deixar as pessoas irritadas?

— Leia as próximas páginas.

Samuel virou a página e leu:

— Aqui começa sua jornada para a verdade.

Ele virou outra página e viu o primeiro capítulo:

— Conversando com Deus.

Samuel leu um pouco do capítulo e sorriu.

— Você disfarçou um livro com textos bíblicos. Você é muito inteligente.

— Obrigada. Pensei em fazer como um jogo. Entregamos o vídeo para aqueles que estão próximos aos espiões e analisamos a reação. Aqueles que acreditaram no vídeo provavelmente ficarão calados, pois sabem que não é seguro falar sobre isso. E depois, entregamos o livro para a pessoa estudar, mas tudo em segredo, sem que a pessoa saiba quem está lhe dando as coisas.

— Poderíamos fazer uma entrevista antes de dar o livro.

— Como assim?

— Graças a Deus e aos espiões, hoje temos muitos lugares disponíveis na cidade. E seguindo a sua ideia do jogo, poderíamos levar a pessoa a um desses lugares, fazer alguma coisa com as luzes, conversar com a pessoa sem que ela nos veja, e com base nas suas respostas, entregamos o livro.

— É assim que se fala! — disse Rute com animação. — Quando meus pais chegarem, vou contar nossas ideias e tenho certeza de que eles vão ajudar com mais sugestões.

Uma mulher branca de meia-idade entrou na sala.

— Rute, Samuel — disse em tom sério. — Vamos para a sala de reuniões.

— O que aconteceu? — perguntou ele um pouco assustado.

— Por favor, vamos — respondeu séria.

Os dois ficaram preocupados e acompanharam a mulher até a sala de reuniões. Outras pessoas já estavam lá, todos pareciam apreensivos.

A mulher que os chamou disse:

— Vocês estão aqui porque tenho algo muito importante a dizer. Hoje um grupo de pessoas foi para outra base para treiná-los em técnicas de espionagem e trabalho infiltrado. O treinamento foi excelente, todos os alunos ficaram muito satisfeitos. Mas quando eles estavam voltando para cá... — A mulher começou a chorar.

Todos ficaram ainda mais apreensivos e nervosos.

— Fale! — disse Samuel. — O que aconteceu?

— No retorno, — ela continuou com mais lágrimas. — A van foi atingida por um caminhão e não houve sobreviventes. No veículo estavam Yehonatan, Hadassah, Abel, a tenente Rebeca, o capitão João, os alunos Cristina, Augusto e Pedro.

Depois que cada pessoa ouviu o nome de seus entes queridos, foi como se o tempo parasse. Cada um deles relembrou os momentos que teve com a pessoa. Samuel se lembrou de tudo o que aconteceu desde a primeira vez que viu Rebeca quando ele tinha dez anos e ela o resgatou em seu bairro recém-destruído.

Rute se lembrou dos momentos que teve com sua família, sua infância, o nascimento de Abel, o início das missões de seu pai.

Todos foram tomados pelas lágrimas. Todos se abraçaram tentando confortar uns aos outros.

Dias depois

O funeral coletivo foi muito comovente. Havia pessoas de todos os lugares: da base, de outras igrejas, de outras organizações religiosas e políticas, etc. Todos ficaram muito tristes com o ocorrido e por um momento, todos se esqueceram das divisões que existiam naquela sociedade. A tristeza os uniu.

Após o enterro, todos foram embora, menos Samuel. Ele ficou em frente ao túmulo de Rebeca. Ele já havia perdido muitas pessoas, mas foi a primeira vez que ele pode chorar a perda, foi a primeira vez que ele foi a um funeral.

Rute se aproximou e o abraçou. Ela ficou ao seu lado.

— Ainda não acredito que isso realmente aconteceu — disse ela com lágrimas.

— Também não acredito — respondeu com lágrimas. — Desde criança me acostumei a ver pessoas morrendo na guerra contra a falsa religião, meus pais, minha tia Marta e muitas outras pessoas, mas dessa vez é diferente.

— Sei o que você quer dizer. Sempre pensamos que a morte viria devido aos riscos que enfrentamos todos os dias.

— Exatamente, Rute. Nunca pensamos em mortes que não estejam relacionadas com a guerra.

Ela suspirou.

— Samuel, agora somos responsáveis pelo legado de nossa família. Vamos fazer o que eles sonharam toda a vida. Vamos acabar com a guerra.

— Vamos — disse ele desanimado.

Eles saíram do cemitério e voltaram para a base onde Samuel atuava.

Dez anos depois (alguns meses atrás)

Rute estava sentada em uma sala de reuniões e Elnathan entrou.

— Rute, bem-vinda à empresa!

— Muito obrigada, Elnathan.

Eles se abraçaram.

— Seu alvo será este homem — disse Elnathan.

Elnathan tirou uma foto de Yoel de um envelope e mostrou a Rute. Ela olhou para a foto.

— Por que ele?

— Ele sempre demonstrou insatisfação com as regras da igreja.

— Alguém já falou com ele?

— Não. Você será a primeira.

— Certo. Vou me aproximar e entender melhor seus pensamentos. Depois que eu terminar minha análise e confirmar seu interesse no verdadeiro Evangelho, vou dar a ele o vídeo da história do Brasil, e depois o livro com a base do cristianismo.

— Ótimo! Já está com o rádio comunicador na sua casa?

— Sim. Eles já me entregaram e eu já testei. Reportarei ao grupo quando tiver alguma novidade. Devo sempre me comunicar por meio de códigos. Vou falar sobre o clima.

— Exatamente! Dessa forma, não há problemas se alguém estiver monitorando nossa frequência. Agora vamos falar com Yoel.

Eles saíram da sala e foram para o posto de trabalho de Yoel.

— Bom dia, Yoel! — disse Elnathan.

Yoel se levantou.

— Bom dia, Elnathan!

Eles se cumprimentaram com um aperto de mãos.

— Yoel, esta é a Rute, ela começa hoje na nossa empresa.

Yoel a cumprimentou com um aperto de mãos e disse sorrindo:

— Bem-vinda, Rute!

Ela também sorriu.

— Muito obrigada, Yoel! — respondeu Rute.

— Vocês vão se falar muito — disse Elnathan. — Suas tarefas estão conectadas. Yoel, você poderia ajudar a Rute nos primeiros dias?

— Claro!

— Muito obrigado! Vou deixá-los trabalhando.

Elnathan saiu e Yoel começou a trabalhar e explicar a Rute como eram as tarefas e operações da empresa.

1 Crônicas

Yoel terminou de ler o livro; ele foi muito impactado por tudo o que leu. Yoel pode entender o verdadeiro significado de ser cristão. Servir a Deus não tem nada a ver com ir à uma igreja específica, seguir algum líder, ofertar na igreja ou seguir um conjunto de regras.

Ele concluiu que Deus deseja um coração sincero que acredita nele e em seu plano. Yoel aprendeu que o mais importante é acreditar em Jesus Cristo e em seu sacrifício na cruz. Este sacrifício é o único capaz de perdoar os pecados de todos.

Yoel criou o hábito de orar todos os dias. Ele sempre agradecia a Deus por tudo o que tinha e pela oportunidade de ler aquele livro.

Na última página estava escrito: "Em breve você saberá mais…"

Ele pensou:

— Espero que isso aconteça logo.

Yoel continuou sua vida como de costume. No entanto, todos os dias ele desejava falar com outra pessoa sobre tudo o que havia aprendido. Uma manhã, ele convidou Rute para uma caminhada no parque. E depois de alguns minutos de caminhada, eles pararam debaixo de uma grande árvore em um lugar isolado.

— Rute, tenho que te falar uma coisa.

— O quê?

— Não sei se devo — disse em tom de dúvida.

Rute se aproximou dele.

— Você sabe que pode confiar em mim — disse com confiança.

— Tenho medo de dizer e você me considerar louco ou algo assim.

— Por que eu te consideraria louco? Você começou a acreditar que a Terra é plana? — Ela sorriu.

Ele também sorriu.

— Não. No entanto, o que quero dizer pode mudar como você me vê.

— É sobre religião?

— Sim. Como sabia?

— Yoel, você está insatisfeito e em dúvida há muito tempo.

— Consegui esclarecer todas as minhas dúvidas.

— Como?

Yoel não estava confiante para respondê-la diretamente. Ele resolveu falar gradualmente.

— Rute, você acredita no plano de Deus? Você acredita que Deus age na vida das pessoas?

— Claro, Yoel! Sou cristã, então, acredito na intervenção divina.

— Desculpe, minha pergunta foi vaga. Quero dizer, você acredita que Deus age apenas na vida das pessoas que vão à igreja e acreditam nas palavras dos líderes?

Rute pensou:

— Acho que ele já terminou o livro. Vou testá-lo.

— Claro! — respondeu séria. — Todos devem ir à uma igreja e acreditar nas palavras dos líderes.

— Mas Rute! — respondeu um pouco desapontado. — Você não acredita que o mais importante é uma conexão pessoal com Deus?

— Do que você está falando? — Ela fingiu surpresa. — Conexão pessoal?

— Exato! — respondeu Yoel com entusiasmo. — Cada pessoa tem uma conexão com Deus. Esta conexão não tem nada a ver com as igrejas e líderes. Todos nós podemos nos conectar com Deus apenas com uma oração.

— Yoel! — respondeu Rute em tom de reprovação. — Você está louco? Ninguém pode orar, somente o líder.

— Isso é uma mentira! — Ele continuou firme. — Todos nós temos que orar a Deus. É a nossa comunicação com ele.

— De onde você tirou essas ideias?

— Da bíblia.

— Minha bíblia não tem essas instruções.

— Claro que não tem! Todas as Bíblias foram alteradas para apoiar falsas doutrinas.

Rute fez uma expressão de surpresa.

— Yoel, você está falando como os infiéis. Você se tornou um deles?

— Rute, os infiéis são os líderes e as igrejas. Eles estragaram tudo. Eles estão levando as pessoas para longe de Deus.

— Por que você diz isso?

— As igrejas pregam contra a Bíblia, contra Deus e contra tudo o que Deus quer.

— Você está fazendo acusações muito sérias. Você pode prová-las?

— Não posso provar tudo. Mas posso provar a maioria.

Yoel tirou o livro de sua mochila.

— Este livro tem muitas respostas e explicações sobre o verdadeiro cristianismo.

— Onde você conseguiu isso?

— É uma longa história. Recebi um vídeo, e depois, fui a um prédio abandonado com alguns textos nas paredes. Uma voz falou comigo através de uma tela e me deu o livro.

— Isso parece um roteiro de romance. E você levou isso a sério?

— Sim. Tudo o que li faz sentido.

— Você vai à igreja há anos e tem dúvidas sobre isso. Você recebeu um livro misterioso e, de repente, acreditou nele?

— Sei que parece estranho, mas desde que comecei a ler era como se Deus estivesse falando comigo. Cada texto bíblico e sua explicação gerou uma transformação dentro de mim. Não consigo mais acreditar no que é pregado nas igrejas. E senti que tinha que compartilhar com alguém e escolhi você.

Rute se emocionou com as palavras de Yoel, ela sorriu.

— Yoel, estou muito feliz ouvindo você dizer isso.

— Feliz? — Ele estava surpreendido. — Não entendi.

Ela segurou as mãos de Yoel.

— Yoel, acredito no mesmo que você.

— Sério? — Ele fez uma expressão de surpresa.

— Sou uma verdadeira cristã ou uma verdadeira adoradora. Nunca acreditei nas igrejas e em seus líderes. Sempre acreditei em Deus, Jesus Cristo, no Espírito Santo e em tudo que você leu neste livro.

Yoel ficou confuso com as palavras de Rute. Ele soltou suas mãos.

— Espera aí! — disse sério. — Você disse que nunca acreditou? Como isso é possível?

— Yoel — respondeu séria. — Minha vida tem uma longa história.

Ele se sentou na grama.

— Temos tempo.

— Tudo bem.

Rute se sentou e lhe contou toda a sua história, exceto sobre Samuel e seu grupo. Rute contou os pontos principais, e Yoel ficou impressionado com tudo o que ela viveu. Ele disse em tom triste:

— Rute, nunca imaginei que você tivesse vivido tantas coisas. Sinto muito por sua família.

— Obrigada, Yoel. Deus me confortou sobre minha

família. Sei que eles estão com Deus.

— Por que você me deu o vídeo?

— Outra pessoa acreditou que você poderia estar preparado para ser liberto das mentiras da religião. No começo, eu tinha dúvidas, mas decidi tentar mesmo assim.

Yoel sorriu.

— Graças a Deus você tentou.

— Yoel, agora, falta uma coisa.

— O quê?

— Você precisa ir a um culto de verdade.

— Culto de verdade?

— Um culto com verdadeiros cristãos, verdadeira adoração e a verdadeira palavra de Deus.

— Qual igreja tem um desses?

— Uma igreja doméstica.

— O que é isso?

— É uma casa onde há cultos. Tudo é escondido para evitar problemas.

— Entendi.

— Vou conseguir informações sobre quando haverá um para irmos juntos.

Eles se levantaram.

— Rute, acabei de te contar sobre minha nova fé e você me convidou para um culto doméstico secreto. Você não acha que isso pode ser perigoso?

Rute segurou as mãos de Yoel.

— Yoel — disse séria. — Você se atreveu a me contar sobre sua nova fé. Você nem mesmo sabia como seria a minha reação, porém, você se arriscou. Tenho certeza de que você não é uma ameaça, você quer conhecer a Deus verdadeiramente.

Yoel abraçou-a, dizendo:

— Muito obrigado. Você é um anjo de Deus em minha vida.

— Sou apenas uma pessoa que está ajudando as pessoas a encontrar a verdade.

Aquele abraço foi demorado, e eles ficaram se olhando nos olhos.

— Rute, você é tão linda.

Ela sorriu.

— Você também é bonito.

Eles se beijaram intensamente.

Dias depois, à noite, eles estavam em uma casa comum em um bairro comum de classe média. Havia mais pessoas lá. Todos usavam túnicas e estavam em uma sala com muitas cadeiras.

Yoel e Rute estavam sentados no meio da sala. Ele olhava tudo com atenção, e as pessoas ali também olhavam para ele.

— Rute, é seguro estar aqui? — perguntou desconfiado. — Todos aqui parecem ser membros de igrejas tradicionais.

Rute segurou sua mão.

— Não se preocupe, Yoel — disse ela confiante. — Todos aqui são verdadeiros adoradores.

— Como você sabe disso?

— Conheço todo mundo aqui. Você é o único convidado esta noite.

— Ah, não! — disse ele um pouco assustado.

— O que aconteceu? — perguntou séria.

— Se sou o único convidado, eles acham que sou membro de uma igreja tradicional.

Rute riu.

— Você é hilário.

— Por quê? — disse sério. — Estou falando de algo sério.

— Yoel, as pessoas só vêm aqui depois que temos certeza de sua fé. A maioria deles fez como você, eles conversaram com alguém sobre o que aprenderam.

Yoel suspirou.

— Graças a Deus! — disse aliviado.

Rute pegou uma bíblia vermelha de sua bolsa. Yoel se lembrou de que aquela bíblia era a mesma que ele havia visto em seu sonho. Ele fixou seu olhar na bíblia.

— Rute, lembra quando te falei do meu sonho?

— Sim. Você viu uma bíblia como essa, não foi?

— Exato!

— Quando você me contou sobre o sonho, eu tive certeza de que você iria se tornar um verdadeiro adorador — disse ela com entusiasmo:

— Por quê?

— Eu havia pedido a Deus uma confirmação sobre o que fazer para te apresentar a verdade. Eu não tinha certeza se você iria acreditar no vídeo.

— Eu estava com tantas dúvidas sobre a religião, por que você ainda tinha dúvidas sobre mim?

— Yoel — disse ela séria, — durante a minha vida, já conheci muitas pessoas que tinham dúvidas sobre a religião e no final, se tornaram ateus. Eles ficaram tão decepcionados que preferiram acreditar que Deus não existe. Eu tinha medo de que você se tornasse uma dessas pessoas.

— Entendi. Naquele sonho, Deus me mostrou que pode existir um mundo livre, onde as pessoas o adoram por amor e não por medo.

Rute sorriu.

— Deus é maravilhoso! — disse ela com animação.

Um jovem negro ficou de pé na frente da sala e disse:

— A graça e a paz do Senhor Jesus Cristo sejam com todos vocês!

— Amém — todos responderam.

Ele continuou:

— Vamos orar e agradecer a Deus por este momento.

As pessoas baixaram as cabeças e o homem orou.

— Senhor Todo-Poderoso, agradecemos por todas as bênçãos que o Senhor já nos deu. A primeira e mais valiosa é a salvação por meio do precioso sangue de Jesus Cristo. Agradecemos a oportunidade de conhecer seu nome da forma correta e a oportunidade de louvar e ouvir a sua palavra. Senhor Deus, abençoe este culto e cada um aqui. Abra nossas mentes para entender a sua palavra. Oramos todas essas coisas em nome de Jesus.

Todos aplaudiram e disseram palavras de louvor.

— Aleluia!

— Glória a Deus!

O homem disse:

— Vamos louvar ao Senhor com nossas vozes.

Ele começou a cantar e as pessoas o seguiram.

Eu olho para a cruz

Para a cruz eu vou

Do seu sofrer, participar

Da sua obra, vou cantar

Meu Salvador

Na cruz, mostrou

O amor do pai

O justo Deus

Pela cruz, me chamou

Gentilmente, me atraiu

E eu, sem palavras, me aproximo

Quebrantado por seu amor

Imerecida vida

De graça recebi

Por sua cruz

Da morte me livrou

Trouxe-me à vida

Eu estava condenado

Mas agora, pela cruz

Eu fui reconciliado

Pela cruz, me chamou

Gentilmente, me atraiu

E eu, sem palavras, me aproximo

Quebrantado por seu amor

Pela cruz, me chamou

Gentilmente, me atraiu

E eu, sem palavras, me aproximo

Quebrantado por seu amor

Impressionante é o seu amor

Me redimiu e me mostrou o quanto é fiel

Impressionante é o seu amor

Me redimiu e me mostrou o quanto é fiel

Pela cruz, me chamou

Gentilmente, me atraiu

E eu, sem palavras, me aproximo

Quebrantado por seu amor

Pela cruz, me chamou

Gentilmente, me atraiu

E eu, sem palavras, me aproximo

Quebrantado por seu amor.[7]

Yoel ficou maravilhado com a letra e a mensagem daquela música. Ele pensou:

— Nunca ouvi uma mensagem tão comovente. O amor de Jesus é incrível.

Rute começou outra música e todas as pessoas a acompanharam:

---

[7] Música: Quebrantado (Sweetly Broken)

Artista: Jeremy Riddle

Adaptação ao português: Vineyard

Veja o amor do Pai

Mistério que não posso entender

Quão grande é o Seu amor

E o quanto nos deseja

As coisas deste mundo

Não são nada diante dele

Pai infalível

O que se compara a Ti?

Veja o Filho de Deus

Leão e o Cordeiro dado a nós

O Verbo se encarnou

Salvador da minha alma

Sofreu por tanto amar a humanidade

Em Seu sangue há salvação

Jesus Messias

O Justo se entregou

Não foi o fim

Ele ressuscitou

Canta minh'alma

Canta minh'alma

Que amor tão grande

Que amor tão grande

Canta minh'alma

Canta minh'alma

Que amor tão grande

Que amor tão grande

Que grande amor!

Veja comigo está

O Espírito queimando em meu ser

Amigo e Protetor

Que me leva à verdade

Traz luz ao meu perdido coração

Até meu tempo aqui findar

Oh Santo Espírito

Teu Reino quero ver

Oh Santo Espírito

Faz em mim o Teu querer

Canta minh'alma

Canta minh'alma

Que amor tão grande

Que amor tão grande

Canta minh'alma

Canta minh'alma

Que amor tão grande

Que amor tão grande

Que grande amor!

Que grande amor meu Deus

O que era e que virá

Ele é fiel

E Sua promessa cumprirá

Do céu em nuvens descerá

Em meio ao som

De louvores voltará

Veja o Senhor

Ao lar nos levará.[8]

Yoel pensou:

— Outra música com uma mensagem verdadeira. É a primeira vez que ouço músicas que louvam tanto a Deus e não às pessoas.

Após a música, o homem disse:

— Vamos abrir nossas bíblias no livro de Jeremias, capítulo dezessete, versículos sete e oito.

As pessoas abriram suas bíblias vermelhas e leram. Yoel leu com Rute.

"Mas bendito é o homem cuja confiança está no Senhor, cuja confiança nele está. Ele será como uma árvore plantada junto às águas e que estende as suas raízes para o ribeiro. Ela não temerá quando chegar o calor, porque as suas folhas estão sempre verdes; não ficará ansiosa no ano da seca nem deixará de dar fruto."

— Irmãos — disse o homem. — A mensagem do Senhor

---

[8] Música: Canta minh'alma (Behold [Then Sings My Soul])

Artista: Hillsong Worship

Adaptação ao português: Kemuel

fala sobre a importância de confiar no Senhor. É somente o Senhor que pode nos salvar todos os dias. Só o Senhor pode nos proteger. Ninguém pode colocar sua confiança em outras pessoas, sejam elas quem forem. Porque todo mundo falha em algo, isso faz parte da natureza humana. O único que nunca falha é Deus. Ele é de geração em geração. Conheço muitas pessoas aqui que toda a família é parte dos verdadeiros adoradores. Desde seus avós ou bisavós, o Senhor está cuidando de vocês. O plano do Senhor nunca falha na vida das pessoas.

Yoel pensou:

— A pregação aqui é tão diferente.

— Não estou dizendo que tudo será fácil. — O homem continuou. — A palavra de Deus compara os que confiam no Senhor à uma árvore plantada junto às águas. Esta planta está em um bom lugar, mas os tempos difíceis vêm. Pode ser o calor ou a seca. Mesmo nessas situações, a mão de Deus está com essa pessoa. Ele protege seus amados. Deus está com eles o tempo todo. Vamos ler outro texto que confirma isso. Salmos, capítulo cento e quarenta e seis, versículos cinco e seis.

Todos leram o texto.

"Como é feliz aquele cujo auxílio é o Deus de Jacó, cuja esperança está no Senhor, no seu Deus, que fez os céus e a terra, o mar e tudo o que neles há, e que mantém a sua fidelidade para sempre!"

O homem continuou:

— A palavra de Deus diz novamente que felizes são aqueles cuja ajuda está em Deus. A repetição desta declaração significa que isso é algo que deve estar no coração e na mente de todos os cristãos. Deus sabe como é difícil vivermos na Terra. Todos enfrentam muitas dificuldades, perseguições, riscos, etc. E Deus deseja que seu povo tenha uma fé inabalável nele. Não importa em que circunstância você esteja vivendo, o que importa é que Deus está com você em todas elas. O Senhor estende a mão para você e para mim, a única coisa que temos que fazer é segurar a mão do Senhor e confiar em seus caminhos. Vejamos outro exemplo na bíblia. Salmos cinquenta e seis, versos três e quatro.

Todos leram o texto.

"Mas eu, quando estiver com medo, confiarei em ti. Em Deus, cuja palavra eu louvo, em Deus eu confio, e não temerei. Que poderá fazer-me o simples mortal?"

— A instrução é muito clara. — Ele continuou. — Quando estivermos com medo, devemos confiar em Deus. Ele é o criador do universo e de tudo o que há nele. Deus controla todas as coisas. Mesmo que vejamos muitas situações desagradáveis e más, sabemos que Deus está acima de tudo isso. Irmãos, algumas vezes, essas situações podem nos assustar e nos colocar frente à morte, em nosso tempo, essas palavras possuem sentido literal. Os verdadeiros adoradores sempre estão sob ameaça, mas isso não pode mudar sua fé nem abalar sua confiança em Deus. Há um texto que ilustra muito bem a ameaça à verdadeira adoração e a fé dos verdadeiros adoradores. Está no livro de Daniel, no capítulo três. Vamos ler do verso um ao sete.

As pessoas leram.

"O rei Nabucodonosor fez uma imagem de ouro de vinte e sete metros de altura e dois metros e setenta centímetros de largura, e a ergueu na planície de Dura, na província da Babilônia. Depois convocou os sátrapas, os prefeitos, os governadores, os conselheiros, os tesoureiros, os juízes, os magistrados e todas as autoridades provinciais, para assistirem à dedicação da imagem que mandara erguer. Assim todos eles, sátrapas, prefeitos, governadores, conselheiros, tesoureiros, juízes, magistrados e todas as autoridades provinciais se reuniram para a dedicação da imagem que o rei Nabucodonosor mandara erguer, e ficaram em pé diante dela. Então o arauto proclamou em alta voz: "Esta é a ordem que lhes é dada, ó homens de todas as nações, povos e línguas: Quando ouvirem o som da trombeta, do pífaro, da cítara, da harpa, do saltério, da flauta dupla e de toda espécie de música, prostrem-se em terra e adorem a imagem de ouro que o rei Nabucodonosor ergueu. Quem não se prostrar em terra e não adorá-la será imediatamente atirado numa fornalha em chamas."

— Agora — disse o homem, — do verso treze a vinte e um.

"Furioso, Nabucodonosor mandou chamar Sadraque, Mesaque e Abede-Nego. E assim que eles foram conduzidos à presença do rei, Nabucodonosor lhes disse: "É verdade, Sadraque, Mesaque e Abede-Nego, que vocês não prestam culto aos meus deuses nem adoram a imagem de ouro que mandei erguer? Pois agora, quando vocês ouvirem o som da trombeta, do pífaro, da cítara, da harpa, do saltério, da flauta dupla e de toda espécie de música, se vocês se dispuserem a prostrar-se em terra e a adorar a imagem que eu fiz, será melhor para vocês. Mas, se não a adorarem, serão imediatamente atirados numa fornalha em chamas. E que deus poderá livrá-los das minhas mãos?" Sadraque, Mesaque e Abede-Nego responderam ao rei: "Ó Nabucodonosor, não precisamos defender-nos diante de ti. Se formos atirados na fornalha em chamas, o Deus a quem prestamos culto pode livrar-nos, e ele nos livrará das tuas mãos, ó rei. Mas, se ele não nos livrar, saiba, ó rei, que não prestaremos culto aos teus deuses nem adoraremos a imagem de ouro que mandaste erguer". Nabucodonosor ficou tão furioso com Sadraque, Mesaque e Abede-Nego, que o seu semblante mudou. Deu ordens para que a fornalha fosse aquecida sete vezes mais que de costume e ordenou que alguns dos soldados mais fortes do seu exército amarrassem Sadraque, Mesaque e Abede-Nego e os atirassem na fornalha em chamas. E os três homens, vestidos com seus mantos, calções, turbantes e outras roupas, foram amarrados e atirados na fornalha extraordinariamente quente."

— E para finalizar, vamos ler do verso vinte e seis a trinta.

"Então Nabucodonosor aproximou-se da entrada da fornalha em chamas e gritou: "Sadraque, Mesaque e Abede-

Nego, servos do Deus Altíssimo, saiam! Venham aqui!" E Sadraque, Mesaque e Abede-Nego saíram do fogo. Os sátrapas, os prefeitos, os governadores e os conselheiros do rei se ajuntaram em torno deles e comprovaram que o fogo não tinha ferido o corpo deles. Nem um só fio de cabelo tinha sido chamuscado, os seus mantos não estavam queimados, e não havia cheiro de fogo neles. Disse então Nabucodonosor: "Louvado seja o Deus de Sadraque, Mesaque e Abede-Nego, que enviou o seu anjo e livrou os seus servos! Eles confiaram nele, desafiaram a ordem do rei, preferindo abrir mão de sua vida a prestar culto e adorar a outro deus que não fosse o seu próprio Deus. Por isso eu decreto que todo homem de qualquer povo, nação e língua que disser alguma coisa contra o Deus de Sadraque, Mesaque e Abede-Nego seja despedaçado e sua casa seja transformada em montes de entulho, pois nenhum outro deus é capaz de livrar alguém dessa maneira". Então o rei promoveu Sadraque, Mesaque e Abede-Nego na província da Babilônia."

Yoel ficou impressionado com a narrativa bíblica.

— A história da fornalha é um excelente exemplo de confiança em Deus. Sadraque, Mesaque e Abede-Nego se negaram a adorar a estátua do rei Nabucodonosor e por isso foram condenados à morte. Antes de lançá-los na fornalha, o rei dá a oportunidade para adorarem a estátua e não serem mortos. No entanto, aqueles homens eram fiéis a Deus, e responderam que Deus poderia livrá-los da fornalha e do poder do rei. E assim, eles afirmaram que não adorariam a estátua. Irmãos, eles não temeram o que o rei lhes poderia fazer, eles estavam convictos sobre a sua fé e proteção. E no final da história, vemos que Deus os livrou da morte e os honrou naquele país. Até o rei Nabucodonosor reconheceu que aqueles homens adoravam o verdadeiro Deus.

Cada palavra da pregação falou profundamente com Yoel. Foi a primeira vez que ele foi positivamente impactado por uma pregação. O mais importante para ele foi que a pregação falava sobre Deus e não sobre dinheiro, poder e coisas que ele havia ouvido em outras igrejas.

— Espero que Deus tenha falado com vocês esta noite. Levem essas palavras no coração e, sempre que se sentirem fracos, desanimados ou angustiados, lembrem-se de que não estão sozinhos. Deus está sempre com vocês. Deus abençoe a todos!

Muitas pessoas disseram palavras de adoração.

— Deus é maravilhoso!

— Obrigado Deus por sua misericórdia!

As pessoas começaram a conversar, e muitas delas foram até Yoel para cumprimentá-lo.

Depois de muitos cumprimentos, Rute disse:

— O que achou do nosso culto?

— Quando é o próximo? — perguntou com entusiasmo. — Preciso ouvir mais pregações como essa.

Rute sorriu.

— Há cultos duas vezes por semana.

— Você pode me acompanhar?

— Claro! — disse ela com entusiasmo.

Eles saíram daquela casa. Yoel levou Rute para casa em seu carro. Eles se despediram com beijos apaixonados.

Semanas depois

Rute se tornou a professora de Yoel para assuntos bíblicos. Eles se encontravam algumas vezes por semana para estudar.

Ela ensinou a ele os princípios básicos do cristianismo, história bíblica e história da religião.

Pouco a pouco, Yoel acumulou uma quantidade impressionante de informações. Além disso, ele tinha uma memória excepcional dos textos bíblicos. Ele podia lê-los apenas uma vez e não os esquecia.

Um dia, Yoel e Rute estavam estudando na sala de Rute. Ela disse:

— O que está escrito em Isaías, capítulo sessenta e um?

Ele respondeu confiante:

— O Espírito do Soberano, o Senhor, porque o Senhor ungiu-me para levar boas notícias aos pobres. Enviou-me para cuidar dos que estão com o coração quebrantado, anunciar liberdade aos cativos e libertação das trevas aos prisioneiros, para proclamar o ano da bondade do Senhor e o dia da vingança do nosso Deus; para consolar todos os que andam tristes, e dar a todos os que choram em Sião uma bela coroa em vez de cinzas, o óleo da alegria em vez de pranto, e um manto de louvor em vez de espírito deprimido. Eles serão chamados carvalhos de justiça, plantio do Senhor, para manifestação da sua glória. Eles reconstruirão as velhas ruínas e restaurarão os antigos escombros; renovarão as cidades arruinadas que têm sido devastadas de geração em geração. É o suficiente até o versículo quatro? Ou você quer o capítulo inteiro? — Ele sorriu.

— É mais do que suficiente. — Ela o beijou e disse com

entusiasmo: — Você é incrível! O Espírito Santo do Senhor está sobre você, dando a você inteligência para pregar às pessoas.

— Obrigado. Mas ainda não preguei para ninguém — disse desanimado.

— Não se preocupe com isso. Deus criará a situação para você pregar.

— Quero pregar para meus pais, mas não sei como posso fazer isso.

— No momento certo, Deus abrirá seus corações para você.

— Amém.

Eles continuaram estudando, não apenas estudando. Eles tiveram algumas pausas para mais beijos apaixonados.

No final daquele dia, Yoel foi para sua casa. Seus pais estavam na sala assistindo televisão. Houve um anúncio incentivando as doações para uma igreja. Yoel observou e, sem perceber, disse:

— Deus ficaria mais satisfeito se as pessoas estivessem preocupadas com os necessitados em vez de líderes e igrejas.

Yehudi e Devorah ficaram surpresos com suas palavras.

— Yoel — disse Yehudi. — O que você disse?

Ele ficou desconfortável e hesitou em responder.

— Eu disse... Hum... Eu disse sem pensar.

— Você não disse sem pensar — disse Devorah. — Você disse com confiança.

— Yoel — disse Yehudi — Você está bem?

— Sim, estou bem.

— Há algum tempo, você tinha muitas dúvidas sobre religião. Você foi a outras igrejas. E depois, você parou de falar sobre isso e parou de ir à igreja.

— Yoel disse Devorah. — Você está indo à outra igreja?

Yoel estava em uma situação complicada. Ele não queria mentir, mas poderia ser perigoso se dissesse a verdade. Ele orou em pensamento:

— Deus, conduza esta conversa. Abra suas mentes para o que vou dizer.

— Mãe, pai — disse sério. — Vocês já pensaram que as igrejas podem não estar certas?

Eles se olharam.

— Claro! — respondeu Yehudi.

— Claro? — Yoel fez uma expressão de surpresa.

— Sim — respondeu Devorah. — Já pensamos nisso.

Yoel se sentou diante deles.

— O que vocês fizeram a respeito?

— O que poderíamos fazer? — respondeu ela. — Só continuamos pensando que as coisas poderiam ser diferentes.

Yoel estava desapontado com a resposta.

— Vocês deviam ter feito algo. Vocês tinham dúvidas.

— Yoel — disse Yehudi sério. — Você sabe o que acontece com aqueles que se levantam contra as igrejas e o sistema. A maioria deles é assassinada. E os outros são presos. Temos um filho e não podemos correr esses riscos.

Yoel ficou em silêncio e pensou um pouco:

— Meu pai está certo. É quase impossível obter algumas respostas sobre religião. Eles não têm uma Rute em suas vidas. Mas eles têm a mim.

— Vocês podem esclarecer todas as suas dúvidas sem riscos! — disse sorrindo.

— Como? — perguntaram.

— Comigo.

Eles fizeram expressões de surpresa e Yoel continuou:

— A verdadeira adoração a Deus não está nas igrejas que conhecemos. Elas estão muito longe de Deus.

— Como você sabe que elas estão longe de Deus? — disse

Yehudi.

— Vou explicar para vocês da mesma forma que aprendi.

Yoel foi para seu quarto e pegou o CD que havia assistido e o livro verde. Ele colocou o disco no reprodutor conectado à televisão.

— Assistam com atenção.

Seus pais assistiram e ficaram impressionados com tudo.

— Agora — disse Yoel. — Vamos para a próxima etapa.

Ele deu o livro para eles.

— Vocês têm que estudar este livro. Mas, pelo amor de Deus, não contem a ninguém sobre isso e estudem apenas em casa.

— Como você conseguiu tudo isso? — disse Devorah.

— É uma longa história. Recebi este CD e o assisti...

Yoel contou a seus pais como havia se tornado um verdadeiro adorador. Eles ficaram impressionados com os detalhes.

Yehudi disse seriamente:

— Yoel, você não teve medo de que não gostássemos de tudo o que você disse e quiséssemos denunciá-lo?

— Pai — respondeu sério. — Eu tinha mais medo de não contar a verdade para vocês. Tenho certeza da minha salvação em Deus, e não tenho medo de nada. Se vocês tivessem me denunciado, provavelmente eu seria morto e iria para o lado de Deus. Não tenho nada a temer.

Eles ficaram impressionados com as palavras.

— Yoel — disse Devorah. — Nunca ouvi você falar com tanta confiança.

— Mãe, isso é o poder de Deus agindo em mim. Vocês dois também podem conhecer e ter esse poder. Leiam este livro com atenção e se libertem das mentiras da falsa religião.

— Tudo bem — disse ela.

— Certo — disse Yehudi.

Yoel se levantou.

— Se vocês tiverem alguma dúvida, me perguntem.

Eles balançaram a cabeça em sinal positivo. Yehudi se levantou e abraçou Yoel.

— Yoel, muito obrigado por compartilhar tudo conosco.

Devorah também o abraçou.

— Você correu muitos riscos falando disso para nós. Suponho que você já tenha aprendido o que significa ser um verdadeiro adorador.

— Mãe, eu aprendi, e logo, vocês também aprenderão.

Tenho certeza de que Deus se revelará a vocês.

— Amém — responderam.

Yoel foi para seu quarto aliviado. Ele pode falar com seus pais sobre o verdadeiro cristianismo, e Deus abriu seus corações.

Nos dias seguintes, Yehudi e Devorah começaram a ler o livro, e aconteceu com eles como aconteceu com Yoel. Cada vez que liam, eles sentiam Deus falando com eles. Eles conseguiram entender todos os assuntos do livro e ver como as igrejas estavam longe de Deus.

Quando terminaram o livro, eles conversaram com Yoel e Rute e explicaram o que aprenderam.

Yoel e Rute estavam convencidos de sua fé e os convidaram para um culto. Lá, Yehudi e Devorah sentiram a presença de Deus e ficaram maravilhados.

2 Crônicas

Samuel e outros verdadeiros adoradores estavam em uma sala de reuniões.

Havia homens e mulheres de diferentes idades, organizações, igrejas, etc.

Um homem branco de meia-idade disse:

— Na minha igreja, pelo menos metade das pessoas são

verdadeiros adoradores. E aqueles que ainda não são, dizem que não se importam com o futuro da igreja.

Uma mulher negra de meia-idade disse:

— Na política, a situação é semelhante. Todos estão prontos para iniciar as mudanças nas leis.

Um jovem branco disse:

— No Exército Eclesiástico, os soldados estão prontos para prender os líderes das maiores igrejas.

Samuel disse ao jovem:

— Eles sabem que a prisão será sem derramamento de sangue?

— Sim. Todos consideram a prisão pior do que a morte devido à humilhação pública.

— Todos vocês apresentaram a situação nos lugares em que estão atuando. Tudo está funcionando bem e estamos muito perto do nosso objetivo. A única coisa que precisamos é iniciar os protestos populares.

Uma mulher branca disse:

— Como podemos iniciá-los?

— Temos que forçar as pessoas a fazerem isso. Vamos criar um rumor sobre algo muito opressor e terrível contra todos. As pessoas não terão outra opção senão protestar contra isso.

— No que você está pensando? — perguntou ela.

— A primeira coisa que temos que fazer é compartilhar uma notícia com a mídia. Diremos que as igrejas querem...

Samuel explicou-lhes o plano e todos ficaram impressionados com sua ideia. Eles concordaram com aquilo e começaram a trabalhar.

Dias depois

À noite, Yoel e sua família estavam assistindo televisão na sala e, de repente, uma notícia urgente interrompeu a transmissão. O jornalista, um jovem branco, disse sério:

— Boa noite! Acabamos de saber que as maiores igrejas do Brasil vão exigir uma mudança na lei da propriedade privada. Nossa correspondente em Brasília[9] tem mais detalhes sobre isso.

Uma jovem negra entrou ao vivo de Brasília.

— Boa noite, estou em frente ao Congresso Nacional, e há alguns minutos, alguns líderes das igrejas se reuniram com alguns políticos. Fontes não oficiais disseram que eles vieram pedir aos políticos que mudassem uma importante

---

[9] Brasília é a capital do Brasil e seu centro político.

lei sobre a propriedade.

— Qual lei eles querem mudar? — disse o jornalista no estúdio.

— Parece que eles querem mudar a lei que protege a propriedade privada. As igrejas querem confiscar casas, carros, dinheiro e outras coisas que as pessoas tiverem. Isso se aplicaria a todos os membros de cada igreja e ocorreria quando a igreja alegasse que precisa de recursos.

O jornalista no estúdio ficou impressionado.

— Isso é um absurdo! Quem ficará encarregado de supervisionar os abusos?

— Nossas fontes disseram que cada igreja fará a própria supervisão. O governo não participará disso.

Yoel e sua família ficaram impressionados com a notícia. As igrejas já fizeram muitas coisas contra as pessoas. No entanto, esta havia superado tudo o que eles já haviam visto.

A mulher iria dizer algo, mas a tela ficou vermelha como sangue e uma música de suspense foi tocada. Uma voz masculina disse:

— É hora de mudar a situação do país. Chega de opressão! Todas as pessoas têm que se opor às igrejas. Do contrário, em breve criarão situações cada vez mais opressivas. Vá para as ruas e proteste contra este sistema corrupto. Você não está sozinho. Muitas pessoas querem mudanças. Amanhã será um dia de decisão.

Após a mensagem, a tela continuou vermelha com a frase: "Vá para as ruas amanhã!"

Yoel trocou de canal e todos tinham a mesma imagem.

— Acho que algo sério vai acontecer — disse Yehudi.

— Acho que estamos assistindo a outra revolução — disse Devorah apreensivamente.

— Não vou só assistir — disse Yoel. — Vou participar.

— Tem certeza? — perguntou Devorah. — Pode ser perigoso.

— Mãe — respondeu sério. — Perigoso é não fazer nada. Se uma lei como eles anunciaram for aprovada, as igrejas confiscarão todas as propriedades. Ninguém terá casa, carro, dinheiro ou qualquer outra coisa.

— Você tem razão — disse Yehudi sério. — Vamos lutar pelo que é certo e justo. Vamos lutar pela liberdade.

— Tenho medo do que pode acontecer nesses protestos — disse Devorah em tom duvidoso. — Mas tenho mais medo do que pode acontecer se ninguém protestar. Vamos lutar pela nossa liberdade.

— Deus irá adiante nesta batalha — disse Yoel confiante. — Ele salvará seu povo da escravidão e da opressão.

— Amém — responderam.

Toda a família decidiu o que fazer. Mesmo com os riscos, eles tinham que lutar contra esse novo ato de opressão.

No dia seguinte, pela manhã, Yoel ligou a televisão e a programação normal havia retornado. No entanto, havia a mesma notícia em todos os canais, grandes multidões protestavam nas cidades. Yehudi e Devorah foram para a sala e assistiram por alguns minutos. Eles ficaram entusiasmados com o que viram.

— Vamos mudar a história do país? — perguntou Yoel.

— Claro! — responderam.

Antes de irem para o protesto, eles foram à casa de Rute. Ela entrou no carro e eles foram para o centro da cidade. Havia milhares de pessoas lá. Todas as ruas estavam cheias de pessoas com faixas reivindicando liberdade. As notícias dos protestos estavam sendo exibidas nas telas onde havia propagandas das igrejas. A legenda da notícia dizia que milhões de pessoas estavam protestando em todo o país.

Os quatro caminharam no meio da multidão. Havia telões e caixas de som em muitas ruas para as pessoas saberem das notícias.

Um jovem repórter negro disse:

— Acabamos de saber que os políticos se reuniram no Congresso Nacional para discutir mudanças nas leis brasileiras. Temos informações de um grupo de políticos que deseja abolir todas as leis religiosas do país. Eles querem dar liberdade às pessoas.

As pessoas nas ruas comemoraram a notícia. O jornalista continuou:

— Estamos recebendo uma transmissão do Congresso Nacional. Parece que eles querem que a população assista o que estão discutindo.

Foi iniciada uma transmissão dentro do Congresso Nacional. Um homem negro de meia-idade, sem barba e com cabelo curto, estava na tribuna. Ele vestia um terno e disse energicamente:

— É hora de mudar o Brasil! Temos que acabar com esse sistema religioso corrupto. As igrejas escravizaram as pessoas com o falso pretexto de adorar a Deus. Mas, na verdade, cada um só se preocupa com seus próprios interesses.

Houve confusão na sessão. Muitos políticos aplaudiram e

outros vaiaram. Houve aplausos nas ruas.

Um homem branco de meia-idade vestindo uma túnica disse gritando:

— Essa ideia é absurda! A nação precisa de Deus!

Uma jovem negra em um vestido disse:

— A nação precisa de Deus, não de pessoas usando seu santo nome para oprimir e prejudicar os outros.

Houve aplausos no Congresso e nas ruas.

Aquela sessão política estava muito confusa. Os políticos continuaram debatendo por algum tempo. A presidente, uma mulher negra de meia-idade em um vestido social, foi à tribuna e disse:

— Parem todos vocês! Essa discussão não leva a lugar nenhum. Vamos votar e decidir o que vai acontecer no Brasil. Devemos isso ao povo brasileiro. A proposta é simples, vamos votar se as igrejas continuam tendo o mesmo poder que têm hoje. Se a maioria não concordar, as igrejas serão como em outros países. Elas não terão poder político; elas não criarão leis, regras ou qualquer outra coisa para impactar toda a nação. As igrejas só legislarão sobre assuntos religiosos para seus membros. O governo e a igreja voltarão a ser duas instituições distintas. E todas as leis criadas para favorecer as igrejas serão revogadas. Todos os sistemas legais serão reestruturados. Não conforme os interesses das igrejas, mas conforme os interesses das pessoas.

As ruas brasileiras vibraram com esse discurso.

Os políticos começaram a votar. Um por um, eles foram à tribuna e expressaram suas opiniões e votos. Após cerca de duas horas, o placar de votos estava muito próximo. Foram 252 votos a favor da mudança do sistema e 248 contra. Faltavam os votos de 21 políticos.

Todo o povo aguardava ansiosamente os últimos políticos e a decisão. O placar de votação estava com 260 votos a favor e 259 contra. E ainda faltavam dois votos.

Um jovem negro com túnica dirigiu-se à tribuna e disse:

— A igreja nunca será derrotada! Tudo deve continuar como está.

A votação estava empatada. Restava apenas um voto para decidir o destino da nação.

Uma mulher negra de meia-idade vestindo uma túnica foi até a tribuna. A atenção de toda a nação estava voltada para ela. Ela olhou ao redor e disse:

— Nunca imaginei que estaria nesta posição. Mas Deus

planejou isso. E por respeito a Ele e ao seu plano. — Ela rasgou a túnica e mostrou roupas casuais. Ela disse com entusiasmo: — Tudo deve mudar. Todos nós merecemos a liberdade!

O Congresso e a nação comemoraram o resultado da votação. A presidenta disse:

— Hoje, sete de julho de dois mil cento e setenta e sete é um dia memorável no Brasil. É um dia para celebrar a liberdade e a união da nação. Essa votação só aconteceu por causa de todos vocês nas ruas. Vocês fizeram suas vozes serem ouvidas. A partir de agora, todos devem se comprometer a nunca mais permitir que a opressão domine nosso país. Todos nós somos responsáveis por garantir a liberdade para nós, nossos filhos e as gerações vindouras.

Os políticos e as ruas aplaudiram seu discurso. Houve comemorações em todo o país. Os verdadeiros adoradores louvaram e cantaram nas ruas até anoitecer.

Yoel, seus pais e Rute estavam voltando para o carro. Cada casal estava de mãos dadas. Yoel disse com entusiasmo:

— Rute! Somos livres! Mal posso acreditar!

— Parece um sonho, mas é a realidade — respondeu com

entusiasmo. — No entanto, este é um momento de cautela.

— Por quê? — disse Devorah. — Você não acredita que as coisas vão mudar?

— Acredito que tudo vai mudar — respondeu séria. — E também acredito que os líderes e as igrejas não aceitarão as mudanças.

— Você tem razão — disse Yehudi. — Eles farão tudo o que puderem para atrapalhar as mudanças.

— Exatamente! — disse Rute. — Este é o momento para o povo se unir e exigir mudanças.

— Considerando o que vimos hoje — disse Yoel. — Suponho que o povo exigirá mudanças.

— Espero que sim — disse Rute.

Yoel olhou para o céu e viu que estava nublado. Ele disse:

— Olhem para o céu.

— Será que vai chover? — disse Devorah.

— Deus nos abençoe com uma chuva maravilhosa — disse Yehudi. — Nosso país merece.

— Senti pingos de chuva! — disse Rute.

— Eu também! — disse Yoel com entusiasmo.

A chuva começou e eles aproveitaram essa bênção de Deus. Yoel fechou os olhos e disse:

— Obrigado, Deus, por esta chuva. Obrigado pela vitória que o Senhor nos deu hoje. Abençoe nossa nação e nos leve a um futuro incrível. Um futuro onde as pessoas te adorem sinceramente e não por obrigação ou interesse.

A chuva ficou mais forte e eles correram para o carro. Eles levaram Rute para casa e depois foram embora.

No dia seguinte, Yoel acordou e notou gotas de água no vidro de sua janela. Ele olhou para fora e viu um maravilhoso arco-íris. Ele sorriu e disse:

— Obrigado, Deus. O Senhor está nos abençoando e renovando sua aliança como foi feito com Noé. Que o Senhor continue nos abençoando a cada dia. Que as pessoas entendam o que significa ser um verdadeiro cristão.

Yoel foi para a sala. Seus pais estavam assistindo televisão. Ele se sentou no sofá.

Uma jovem jornalista branca disse com entusiasmo:

— Ontem choveu em todo o país. E hoje, havia arco-íris maravilhosos em muitos lugares.

A reportagem mostrou imagens de arco-íris em vários lugares do Brasil.

— Segundo os meteorologistas — disse a jornalista. — Não há explicação científica para esse fenômeno. Isso nunca havia acontecido no Brasil nem em outros países.

— A explicação é Deus — disse Yoel. — Ele está mostrando a todos que está satisfeito com o que aconteceu ontem.

— Espero que as pessoas continuem agradando-o — disse Yehudi.

A jornalista continuou:

— Haverá mais uma assembleia política para continuar debatendo as mudanças nas leis. Nossas fontes disseram que uma nova eleição geral será sugerida, pois esta é a única maneira de começar um novo tempo no Brasil.

— Concordo com isso — disse Yoel. — Somente com novos políticos, a mudança durará.

A jornalista disse:

— Acabamos de saber que o Ministério da Justiça iniciará procedimentos legais para auditar todas as atividades das igrejas. A justiça investigará tudo o que as igrejas estavam fazendo.

— Acho que eles vão encontrar muitas coisas erradas — disse Yehudi.

— Com certeza — disse Yoel.

— Os novos acontecimentos não param! Em uma ação

inédita, o Exército Eclesiástico prendeu alguns líderes religiosos. Eles prenderam Kaim Nabucodonosor da Igreja Galáctica, Yarav'am Hallel da Congregação dos Evangelistas Verdadeiros e outros membros relacionados à administração das igrejas.

Imagens das prisões foram exibidas. A jornalista continuou:

— O líder do Exército Eclesiástico, Chaza'el Phares, falou com os jornalistas.

Chaza'el Phares estava cercado por muitos soldados. Ele disse aos repórteres:

— O Exército Eclesiástico ajudará a nação a se purificar desses falsos cristãos. Eles perverteram a palavra de Deus e merecem sua punição.

— Chaza'el — disse um jovem branco. — Há algum tempo, sua organização trabalhou para essas igrejas, o que mudou?

Ele respondeu sério:

— Tínhamos uma percepção errada sobre quem era fiel e quem era infiel. Há algum tempo, começamos a ver a verdade e mudamos nossas ações.

— O que aconteceu? — perguntou o homem.

— Entendemos o que Deus realmente quer para as pessoas.

Uma jovem negra disse:

— Ex-membros do Exército Eclesiástico disseram que o grupo tinha planos para matar esses líderes. Isso é verdade?

— Admito que falamos sobre isso em algumas reuniões. Mas tudo era apenas um espetáculo para os membros. Esperávamos este momento para prendê-los.

— O que seu grupo fará com eles? — perguntou a mulher.

— Eles ficarão à disposição da justiça brasileira.

Chaza'el e seu grupo foram embora com os prisioneiros.

Yoel se levantou e disse:

— Vou trabalhar. — Ele sorriu. — Hoje todas as conversas terão o mesmo assunto.

Yoel foi para o centro da cidade. As telas publicitárias mostravam notícias sobre os últimos acontecimentos. Yoel olhou e pensou:

— As coisas estão começando a mudar.

Ele estava em seu posto de trabalho. Rute chegou por trás dele e disse:

— Yoel!

Ele olhou para trás e ficou impressionado.

— Rute! — disse em tom de surpresa. — Você está muito diferente.

Ela sorriu.

— Estou melhor ou pior?

— Com certeza está melhor.

Ela usava calça jeans e uma camisa sem mangas.

— Rute, você está como no meu sonho.

— Seu sonho se tornou realidade.

— Tenho certeza de que esse era o seu sonho também.

— Era o meu sonho, o sonho dos meus pais e o sonho de toda a nação.

Elnathan se aproximou deles. Ele também estava vestindo roupas casuais. Yoel ficou surpreso com isso e disse:

— Elnathan, você também é um verdadeiro adorador?

Ele sorriu.

— Yoel — respondeu ele. — Há muito mais verdadeiros adoradores do que você pode imaginar.

— Vamos conversar mais na hora do almoço — disse Rute. — Elnathan, você quer se juntar a nós?

— Sim.

— Vocês têm muita coisa para me contar. — Yoel sorriu.

Eles se olharam.

— Sim, nós temos — responderam.

Na hora do almoço, explicaram a Yoel sobre mais pessoas que ele conhecia que faziam parte dos verdadeiros adoradores. Yoel ficou surpreso com quantas pessoas ele conhecia, mas não sabia que eram verdadeiros adoradores.

Meses depois

Houve uma nova eleição e cerca de noventa por cento dos políticos eleitos apoiavam a ideia de liberdade no país.

Apesar de suas tentativas de perturbar a nação, as igrejas e seus membros foram impedidos pelas autoridades. Houve muitas prisões por perturbação da ordem pública. No entanto, eles não foram condenados a penas severas. A justiça os condenou a prestar serviços comunitários.

Gradualmente, a população foi se acostumando com a nova realidade. Aqueles que criam nas igrejas tradicionais começaram a se interessar pelos ensinamentos dos verdadeiros adoradores, e muitos deles tiveram uma verdadeira conversão aos caminhos de Deus.

Foram construídas igrejas para os verdadeiros adoradores. Eles finalmente puderam louvar a Deus livremente e ter cultos; eles não precisavam mais se esconder.

Todas as leis religiosas foram revogadas, inclusive as relativas a descontos salariais. As igrejas não tinham o mesmo poder de antes. Elas se tornaram apenas organizações religiosas e eram monitoradas pelo governo para evitar abusos contra seus membros e a sociedade.

O Exército Eclesiástico assinou um acordo com o governo para interromper todas as suas atividades. Eles não teriam nenhum poder ou recursos militares. Eles seriam apenas membros de uma organização civil. Além disso, o grupo concordou com uma investigação sobre todas suas ações anteriores e punições para todos os crimes cometidos.

Apocalipse

Anos depois

As regras das igrejas ficaram no passado. As pessoas não usavam mais túnicas. Até os membros das igrejas tradicionais abandonaram esse hábito. Todos vestiam calças, shorts, camisetas, vestidos, camisas sem mangas, etc.

Além das roupas, as pessoas também abandonaram o uso de nomes hebraicos. Todos os recém-nascidos eram registrados com o nome que os pais escolhiam. Foi aprovada uma lei que permitia aos adultos mudar seus nomes para outros nomes ou usar a correspondência em português do nome hebraico. A alteração era uma decisão pessoal.

O país voltou a ter um clima muito agradável: as chuvas eram regulares e as temperaturas caíram para as médias do século XXI.

Após as mudanças na política brasileira, os países estrangeiros iniciaram negociações diplomáticas buscando a aproximação e reabertura do país. As negociações foram bem-sucedidas e muitos acordos de cooperação foram estabelecidos. O país iria receber ajuda em seu processo de reestruturação.

...

Um dia, Samuel estava no topo de uma colina sentado na grama e orando:

— Deus, muito obrigado por tudo que o Senhor tem feito pela nação. Depois de viver muito tempo em guerra, temos paz. Depois de tantas perdas, meus pais, Marta, Rebeca e muitas outras pessoas. Todos eles morreram sonhando com este dia. E hoje, o Senhor nos permite viver este dia. Não tenho palavras para agradecer ao Senhor.

Samuel abaixou a cabeça e começou a chorar de felicidade por aquele dia.

Depois de alguns minutos, ele desceu a colina e se encontrou com uma mulher branca de pele clara que esperava por ele encostada num carro azul comum. A mulher tinha cerca de quarenta anos, cabelos castanhos claros na altura dos ombros, peso e altura médios.

Ela percebeu que ele havia chorado.

— Meu amor, você está bem? — disse ela.

— Sim, estou bem. Estava chorando, mas era pela felicidade desse momento.

Ela o abraçou.

— Você pode respirar aliviado. A guerra em que você lutou acabou.

— Deus nos ajudou a passar por isso.

— E Deus abençoará a nação e as pessoas para que nada como o que aconteceu volte a acontecer — disse ela confiante.

— Amém.

Ela pegou o celular e olhou a hora.

— Agora temos que ir. Não podemos perder o casamento da Rute.

— É um dia muito importante. Ela vai formar uma nova família.

Ela segurou as mãos de Samuel e disse romanticamente:

— Não faz muito tempo desde que começamos a nossa. — Ela o beijou apaixonadamente e disse: — Todo mundo merece um novo começo.

— O novo começo só foi possível após o fim da guerra. Os verdadeiros adoradores puderam viver livres e sem medo.

Ela abriu a porta do carro e disse:

— Vamos celebrar a liberdade e a vida!

— Vamos!

Eles entraram no carro e foram para sua casa.

A cerimônia foi à noite em uma das novas igrejas construídas para os verdadeiros adoradores. O prédio era simples, retangular com arquitetura moderna e janelas nas laterais. E por dentro era semelhante às igrejas cristãs do século XXI, parede pintada de cor clara, duas fileiras com bancos de madeira e um corredor no meio. A igreja estava decorada com flores em algumas partes e havia um tapete vermelho no corredor.

Elnathan encontrou Yoel perto da entrada da igreja. Ambos tinham cabelos curtos e barbas curtas e cheias. Eles usavam terno e gravata.

Yoel parecia nervoso e andava de um lado para o outro.

— Se acalme! — disse Elnathan. — Vai dar tudo certo.

— Espero que sim — respondeu exaltado. — Não sei o que aconteceu que ela ainda não chegou!

Elnathan olhou seu celular.

— Yoel, ainda não é a hora da cerimônia. Você está muito nervoso.

Uma limusine preta parou em frente à igreja.

— Graças a Deus! Ela chegou — disse Yoel aliviado.

Um jovem negro aproximou-se e disse:

— O pastor vai começar a cerimônia. Por favor, entre.

Yoel entrou e a cerimônia começou. Rute usou um vestido branco muito elegante que lhe deixou maravilhosa. Todos ficaram muito impressionados com a noiva.

Após a cerimônia na igreja, houve uma grande festa onde todas as pessoas celebraram o casamento com muita dança.

...

Os anos passaram e a nação brasileira continuou a evoluir. As ideias de opressão não tinham mais lugar na nação. Todas as pessoas entenderam a importância da liberdade e seus benefícios para todos.

Os verdadeiros princípios bíblicos ajudaram a construir um novo país. Todas as pessoas buscavam justiça, honestidade, respeito e amor ao próximo. Esses princípios ajudaram o país a se desenvolver.

O país tornou-se um exemplo brilhante de desenvolvimento e progresso humano, sendo classificado entre as principais nações do mundo em termos de expectativa de vida, educação, renda e padrões de vida. O Brasil alcançou sistemas perfeitos de saúde universal gratuita, seguridade social e sustentabilidade ambiental para todos os seus cidadãos.

Todos os países do mundo respeitavam o Brasil e o viam como exemplo de nação justa, honesta e bem-sucedida. Todo o povo vivia com dignidade, porque não havia pobreza nem miséria. Não havia pessoas famintas ou desabrigadas.

O país era um modelo de democracia e direitos humanos. Havia um sistema político justo e transparente que respeitava o estado de direito e a vontade do povo, garantindo oportunidades e liberdades iguais para todos, independentemente de gênero, raça, religião ou origem. Havia um espírito de cooperação e solidariedade entre todas as pessoas, garantindo a paz entre todos.

1 "Se vocês obedecerem fielmente ao Senhor, o seu Deus, e seguirem cuidadosamente todos os seus mandamentos que hoje lhes dou, o Senhor, o seu Deus, os colocará muito acima de todas as nações da terra. 2 Todas estas bênçãos virão sobre vocês e os acompanharão, se vocês obedecerem ao Senhor, o seu Deus: 3 "Vocês serão abençoados na cidade e serão abençoados no campo. 4 Os filhos do seu ventre serão abençoados, como também as colheitas da sua terra e os bezerros e os cordeiros dos seus rebanhos. 5 A sua cesta e a sua amassadeira serão abençoadas. 6 Vocês serão abençoados em tudo o que fizerem. 7 "O Senhor concederá que sejam derrotados diante de vocês os inimigos que os atacarem. Virão a vocês por um caminho, e por sete fugirão. 8 "O Senhor enviará bênçãos aos seus celeiros e a tudo o que as suas mãos fizerem. O Senhor, o seu Deus, os abençoará na terra que lhes dá. 9 "O Senhor fará de vocês o seu povo santo, conforme prometeu sob juramento, se obedecerem aos mandamentos do Senhor, o seu Deus, e andarem nos caminhos dele. 10 Então todos os povos da terra verão que vocês pertencem ao Senhor e terão medo de vocês. 11 O Senhor lhes concederá grande prosperidade, no fruto do seu ventre, nas crias dos seus animais e nas colheitas da sua terra, nesta terra que ele jurou aos seus antepassados que daria a vocês. 12 "O Senhor abrirá o céu, o depósito do seu tesouro, para enviar chuva à sua terra no devido tempo e para abençoar todo o trabalho das suas mãos. Vocês emprestarão a muitas nações, e de nenhuma tomarão emprestado. 13 O Senhor fará de vocês a cabeça das nações, e não a cauda. Se obedecerem aos mandamentos do Senhor, o seu Deus, que hoje lhes dou e os seguirem cuidadosamente, vocês estarão sempre por cima, nunca por baixo. Deuteronômio 28:1-13.

FIM

Sobre o autor

Rafael Henrique dos Santos Lima

Graduado em Processos Gerenciais e M.B.A. em Gestão Estratégica de Projetos pelo Centro Universitário UNA. Cristão pela Graça de Deus. Apaixonado pela escrita (português, espanhol e inglês), poeta e romancista.

Contatos

rafael50001@hotmail.com

rafaelhsts@gmail.com

Blog: escritorrafaellima.blogspot.com

Agradecimento

Os websites abaixo contêm muitas informações úteis para a escrita deste livro.

Behind the Name

Bing AI

Google Docs

Language Tool

Agradeço ao website Pexels e ao autor Damir.

Agradeço ao website Playground AI, ele foi essencial para a geração das imagens deste livro.

Agradecimento especial

Agradeço a Deus. Ele me deu a inteligência para escrever o livro.

Milton Keynes UK
Ingram Content Group UK Ltd.
UKHW010940221123
433051UK00003B/184